ZEN NA ARTE DA ESCRITA

ZEN NA ARTE DA ESCRITA

RAY BRADBURY

tradução:
Petê Rissatti

Texto fixado conforme as regras do Acordo Ortográfico da Língua Portuguesa (Decreto Legislativo nº 54, de 1995).

Editor responsável: Lucas de Sena Lima
Assistente editorial: Jaciara Lima da Silva
Preparação: Jane Pessoa
Revisão: Thiago Lins
Revisão de poemas: Ana Guadalupe
Diagramação: Ilustrarte Design e Produção Editorial
Capa: Studio Del Rey
Imagem da orelha: Cortesia de Don Congdon Associates, Inc.

Título original: *Zen in the Art of Writing*

CIP-BRASIL. CATALOGAÇÃO NA PUBLICAÇÃO
SINDICATO NACIONAL DOS EDITORES DE LIVROS, RJ

B79z

Bradbury, Ray, 1920-2012
Zen na arte da escrita / Ray Bradbury ; tradução Petê Rissatti. - 1. ed. - Rio de Janeiro : Biblioteca Azul, 2020.
160 p. ; 21 cm.

Tradução de : Zen in the art of writing
ISBN 978-65-5830-002-1

1. Escrita. 2. Comunicação escrita. 3. Escrita criativa. 4. Criatividade (Linguística). I. Rissatti, Petê. II. Título.

20-65438 CDD: 808.02
CDU: 808.01

Camila Donis Hartmann - Bibliotecária - CRB-7/6472

1ª edição, 2020

Direitos exclusivos de edição em língua portuguesa para o Brasil
adquiridos por
Editora Globo S.A.
Rua Marquês de Pombal, 25
Rio de Janeiro — RJ — 20230-240 — Brasil
www.globolivros.com.br

Para minha professora mais admirável,
Jennet Johnson, com amor.

SUMÁRIO

COMO ESCALAR A ÁRVORE DA VIDA, ATIRAR PEDRAS EM SI MESMO E VOLTAR A DESCER SEM TER OS OSSOS OU O ESPÍRITO PARTIDOS

UM PREFÁCIO COM UM TÍTULO NÃO MUITO MAIS LONGO QUE O LIVRO

Às vezes me surpreendo com minha capacidade, quando era um garoto de nove anos, de compreender minha armadilha e dela escapar.

Como o garoto que eu era pôde, em outubro de 1929, por causa da crítica de seus colegas de sala do quarto ano, rasgar suas revistinhas do Buck Rogers e, um mês depois, achar que todos os seus amigos eram idiotas e voltar correndo para colecioná-las?

De onde vieram essa opinião e essa força? Que tipo de processo vivenciei que me permitiu dizer: "Eu bem que poderia morrer"? Quem está me matando? Qual é a cura?

Claro que eu podia responder a todas essas perguntas. Dei um nome à minha doença: o fato de eu ter rasgado minhas revistinhas. E encontrei a cura: voltar a colecioná-las, independente do que acontecesse.

Fiz isso. E foi bem feito.

Mas, ainda assim. *Naquela* idade? Quando estamos acostumados a corresponder à pressão de nossos pares?

Onde encontrei coragem para me rebelar, mudar minha vida, viver por minha conta?

Não quero superestimar tudo isso, mas, caramba, eu amo esse menino de nove anos, quem quer que ele tenha sido. Sem ele, eu não poderia ter sobrevivido para apresentar estes textos.

Parte da resposta, claro, reside no fato de eu ter sido tão loucamente apaixonado por Buck Rogers que não pude enxergar meu amor, meu herói, minha vida destruídos. É quase simples assim. Era como saber que o melhor camarada, o mais amoroso amigo, centro da vida se afogou ou levou um tiro e morreu. Não dá para salvar os amigos mortos dessa maneira do próprio funeral. Percebi que Buck Rogers talvez pudesse ter uma segunda chance de viver se eu lhe desse uma. Então, fiz uma respiração boca a boca nele e, "opa!", ele se levantou e disse: "E aí?".

Grite. Pule. Brinque. Deixe esses filhos da puta para trás. Eles *nunca* vão viver do jeito que você vive. Vá e *faça*.

Exceto pelo fato de que nunca falei palavrões como FDP. Não eram permitidos. Caramba! foi mais ou menos o tamanho e a força do meu grito. *Sobreviva!*

Então, eu colecionava quadrinhos, era apaixonado por parques de diversões e exposições mundiais, e comecei a escrever. E aí você perguntará: o que a escrita nos ensina?

Em primeiro lugar, e antes de mais nada, ela nos lembra de que estamos *vivos* e que isso é um presente e um privilégio, não um direito. Precisamos nos apropriar da vida, já que ela nos foi dada. A vida pede recompensas, pois nos concedeu o ânimo.

Então, embora nossa arte, ainda que assim desejemos, não possa nos salvar de guerras, privação, inveja, cobiça, velhice ou morte, ela pode nos revitalizar no meio de tudo isso.

Em segundo lugar, escrever é sobreviver. Qualquer arte, *qualquer* bom trabalho, claro, significa isso mesmo.

Não escrever, para muitos de nós, significa morrer.

Precisamos pegar em armas todos os dias, talvez sabendo que a batalha não poderá ser vencida por inteiro, mas precisamos lutar, ainda que seja uma luta leve. O menor esforço para vencer significa, ao fim de cada dia, uma espécie de vitória. Lembre-se do pianista que disse que se não praticasse todo dia *ele* saberia, se não praticasse por dois dias, os *críticos* saberiam, depois de três dias seu *público* saberia.

Uma variação disso é real para quem escreve. Não que seu estilo, seja ele qual for, ficasse disforme em poucos dias.

Mas o que aconteceria é que o mundo nos atropelaria e tentaria nos adoecer. Se não escrever todo dia, os venenos se acumularão, e você vai começar a morrer, agir de um jeito enlouquecido, ou ambos.

É preciso embebedar-se da escrita para que a realidade não possa te destruir.

Pois a escrita permite apenas as receitas adequadas de verdade, vida, realidade, enquanto você for capaz de comer, beber e digerir sem hiperventilar e despencar como um peixe morto na cama.

Em minhas jornadas, aprendi que, se eu deixar um dia passar sem escrever, fico cada vez mais inquieto. Dois dias e começo a tremer. Três e suspeito de loucura. Quatro e viro um porco, chafurdando em um lamaçal. Uma hora de escrita é um tônico. Fico de pé, corro em círculos e grito, pedindo um par de sapatos limpos.

Então é *disso* que, de um jeito ou de outro, este livro trata.

Tomar uma pitada de arsênico a cada manhã para que você possa sobreviver ao pôr do sol. Outra pitada no pôr do sol para que você possa sobreviver além da aurora.

A microdose de arsênico que se toma aqui o prepara para *não* se envenenar e *não* se destruir mais adiante.

O trabalho no meio da vida é essa dosagem. Para manipular a vida, lance órbitas coloridas e brilhantes para cima de modo a se mesclarem com as órbitas escuras, misturando uma profusão de verdades. Usamos os fatos grandiosos e belos da existência para suportar os horrores que afligem diretamente a nós, a nossa família e amigos, ou que nos vêm através das notícias dos jornais e da TV.

Não devemos negar os horrores. Quem entre nós não teve um amigo que morreu de câncer? Existe família em que algum parente não foi morto ou ficou mutilado por um acidente de automóvel? Não conheço nenhuma. Da minha parte, uma tia, um tio, um primo e seis amigos foram mortos por um carro. A lista é infinita e devastadora se não nos opusermos criativamente a ela.

Isso quer dizer que a escrita é como uma cura. Não completa, claro. Você nunca supera pais no hospital ou o amor de sua vida no túmulo.

Não vou usar a palavra "terapia", é uma palavra asséptica demais, estéril demais. Digo apenas que, quando a morte reduzir a velocidade dos outros, você deve correr para construir seu trampolim e pular de cabeça em sua máquina de escrever.

Poetas e artistas de outras épocas, de um passado distante, sabiam de tudo isso que eu disse aqui ou que apresentarei nos ensaios a seguir. Aristóteles falou disso eras atrás. Você o tem ouvido ultimamente?

Estes ensaios foram escritos em vários momentos durante um período de trinta anos, para expressar descobertas especiais, servir a necessidades especiais. Mas todos ecoam as mesmas verdades de autorrevelação explosiva e espanto contínuo que seu poço profundo abriga, basta você simplesmente recuar um pouco e gritar para dentro dele.

No momento em que escrevo este texto, chegou uma carta de um jovem escritor desconhecido que diz que vai viver segundo meu lema, encontrado no meu livro *O viajante do tempo*.

> [...] mentir com gentileza e provar que a mentira é verdade [...] finalmente, tudo é uma promessa [...] o que *parece* uma mentira é uma necessidade decrépita que deseja ser parida [...].

E agora:

Inventei um novo símile para descrever a mim mesmo nos últimos tempos. Ele pode ser seu.

Toda manhã pulo da cama e piso em uma mina terrestre.
A mina terrestre sou eu.
Depois da explosão, passo o restante do dia juntando os pedaços.
Agora, é sua vez. Pule!

A ALEGRIA DA ESCRITA

ENTUSIASMO. ANIMAÇÃO. Como é raro ouvir pessoas usando essas palavras. Como é raro ver pessoas vivendo ou, de fato, criando com elas. Ainda assim, se me perguntassem o nome dos itens mais importantes que formam o escritor, as coisas que moldam seu material e o impulsionam pela estrada até onde deseja ir, eu diria apenas para que olhasse para seu entusiasmo, enxergasse sua animação.

Você tem uma lista de escritores favoritos; eu tenho a minha. Dickens, Twain, Wolfe, Peacock, Shaw, Molière, Jonson, Wycherly, Sam Johnson. Poetas: Gerard Manley Hopkins, Dylan Thomas, Pope. Pintores: El Greco, Tintoretto. Músicos: Mozart, Haydn, Ravel, Johann Strauss (!). Pense em todos esses nomes e você vai pensar em entusiasmos, apetites, fomes, grandes ou pequenas, mas, de qualquer forma, importantes. Pense em Shakespeare e Melville, e você vai pensar em trovão, raio, vento. Todos sabiam da alegria de criar em formatos grandes ou pequenos, em telas ilimitadas ou restritas. Esses são os filhos dos deuses. Souberam se divertir em seu trabalho. Não importa se a criação foi difícil aqui e ali, ao longo do caminho, ou se doenças e tragédias acometeram sua vida mais íntima. As coisas importantes são aquelas que nos foram transmitidas por suas mãos e mentes, e essas coisas estão cheias até a tampa de vigor animal e vitalidade intelectual. Seus ódios e desesperos foram relatados com uma espécie de amor.

Olhe para as figuras alongadas de El Greco e me diga, se puder, que ele não teve alegria em seu trabalho? Você pode realmente achar que *A criação dos animais*, de Tintoretto, é uma obra baseada em algo menos do que "diversão" em seu sentido mais abrangente e envolvente? O melhor *jazz* diz: "Gonna live forever; don't believe in death" [Vamos viver para sempre; não acredite na morte]. A melhor escultura, como a cabeça de Nefertiti, diz, sem parar: "A Beleza esteve aqui, está aqui e estará aqui para sempre". Cada um dos homens que listei capturou um pouco do mercúrio da vida, congelou-o por todo tempo e se virou, no arroubo de sua criatividade, para apontá-lo e gritar: "Não é bom?". E era bom.

O que tudo isso tem a ver com a escrita da narrativa breve em nossos tempos?

Somente isto: se estiver escrevendo sem entusiasmo, sem animação, sem amor, sem diversão, você será apenas meio escritor. Significa que está tão ocupado de olho no mercado ou de ouvido atento à panelinha de vanguarda que não está sendo você mesmo. Nem sequer se conhece. Pois esta é a primeira coisa que um escritor deveria ser: alguém com entusiasmo. Deveria ter algo de febril e de ardor. Sem esse vigor, talvez fosse melhor ir colher pêssegos ou cavar trincheiras; quem sabe isso não faria um bem maior à sua saúde.

Quanto tempo faz desde que você escreveu uma história na qual seu verdadeiro amor ou seu verdadeiro ódio foi para o papel? Quando foi a última vez que ousou liberar um estimado preconceito para que ele batesse na página como um relâmpago? Quais são as melhores e as piores coisas em sua vida, e quando você vai dar um jeito de sussurrá-las ou gritá-las?

Não seria maravilhoso, por exemplo, deixar de lado uma edição da *Harper's Bazaar* que, por acaso, você estivesse folheando no consultório do dentista e saltar para sua máquina de escrever e avançar a toda com fúria hilariante, atacando o esnobismo idiota e, às vezes, chocante da revista? Anos atrás fiz exatamente isso. Encontrei um número em que os fotógrafos da *Bazaar*, com seu senso pervertido de igualdade, utilizaram novamente, em uma ruazinha de Porto Rico, nativas como adereços, em frente às quais posavam suas modelos de aparência esfomeada, em benefício de jovenzinhas ainda mais emaciadas nos melhores salões de beleza do país. As fotografias me enfureceram tanto que corri, não andei, até minha máquina e escrevi "Sol e sombra", a história de um velho porto-riquenho que arruína a tarde de trabalho do fotógrafo da *Bazaar* ao se infiltrar em cada foto e arriar as calças.

Ouso dizer que alguns de vocês teriam gostado de ter feito esse trabalho. Eu me diverti escrevendo-o; o efeito posterior e purificador da vaia, do berro e da gargalhada histérica imensa. Provavelmente os editores da revista nem ouviram falar dele. Mas muitos leitores ouviram e gritaram: "Dá-lhe, *Bazaar*, dá-lhe, Bradbury!". Não reivindiquei vitória, mas fiquei com sangue nas mãos quando os expus.

Quando foi a última vez que você criou uma história como essa, por pura indignação?

Quando foi a última vez que você foi parado pela polícia em sua vizinhança por gostar de caminhar e, talvez, pensar à noite? Aconteceu com tanta frequência comigo que, irritado, escrevi "O pedestre", uma história de um tempo, cinquenta anos atrás, quando um homem é preso e levado para estudos clínicos porque insiste em olhar para a realidade não televisionada e respirar um ar não condicionado.

Deixando a irritação e a raiva de lado, o que falar do amor? O que você mais ama no mundo? Digo, as coisas grandes e pequenas. Um bonde, um par de tênis? Essas coisas, quando éramos crianças, eram envoltas em magia. No ano passado, publiquei uma história sobre a última viagem de um garoto em um bonde que cheirava a todas as tempestades com trovoadas, cheio de bancos de veludo verde-musgo bacanas e eletricidade azul, mas condenado a ser substituído pelo ônibus mais prosaico, de cheiro mais prático. Outra história relacionada a um garoto que queria um par de tênis novos pelo poder que eles lhe conferiam para saltar rios, casas e ruas, e até mesmo arbustos, calçadas e cães. Para ele, os tênis eram o estouro de antílopes e gazelas na savana africana estival. A energia das corredeiras dos rios e tempestades de verão estava naqueles tênis; ele precisava tê-los mais do que qualquer outra coisa no mundo.

Então, simples assim, eis a minha fórmula.

O que você quer mais do que qualquer outra coisa no mundo? O que você ama ou o que você odeia?

Encontre uma personagem, como você mesmo, que vai desejar ou não uma coisa, de todo coração. Dê-lhe ordens e mais ordens. Mande-a caminhar. Em seguida, avançar o mais rápido que puder. A personagem, em seu grande amor ou ódio, vai levar você até o fim da história. O entusiasmo e a força de sua necessidade, e *existe* entusiasmo tanto na raiva quanto no amor, vão incendiar a paisagem e aumentar a temperatura de sua máquina de escrever acima dos quarenta graus.

Tudo isso é indicado essencialmente ao escritor que já aprendeu seu ofício, ou seja, está imbuído de ferramentas gramaticais e conhecimento literário suficientes para não tropeçar quando quiser correr. Contudo, o conselho também serve bem ao iniciante, embora seus passos possam vacilar por razões puramente técnicas. Mesmo nesse caso, a paixão com frequência salva o dia.

Por isso, o histórico de cada história deveria ser lido quase como uma previsão do tempo: quente hoje, fresco amanhã. Nesta tarde, incendeie a casa toda. Amanhã, jogue a água fria da crítica sobre as brasas incandescentes. Tempo suficiente para pensar, cortar e reescrever amanhã. Mas hoje exploda, despedace, desintegre! Os outros seis ou sete rascunhos vão ser pura tortura. Então, por que não aproveitar esse primeiro rascunho, na esperança de que sua alegria vá procurar e encontrar outros no mundo que, ao ler sua história, vão se incendiar também?

Não precisa ser um grande incêndio. Um pequeno lampejo, a luz de uma vela, talvez; um desejo de uma maravilha mecânica como um bonde ou uma maravilha animal como um par de tênis saltando como coelhos nos gramados nas primeiras horas da manhã. Busque os pequenos amores, encontre e modele as pequenas amarguras. Saboreie-os na boca, teste-os em sua máquina de escrever. Quando foi a última vez que você leu um livro de poesia ou tirou um tempo, em uma tarde, para ler um ensaio ou dois? Você já leu uma única edição da *Geriatrics*, o periódico oficial da Sociedade Norte-Americana de Geriatria, voltado à "pesquisa e ao estudo clínico das doenças e dos processos dos idosos e do envelhecimento"? Leu, ou mesmo viu, uma cópia de *What's New*, revista publicada pela Abbott, que fica ao norte de Chicago, e que traz artigos como "Tubocurarina para cesariana" ou "Fenamecida em epilepsia", mas também poemas de William Carlos Williams, Archibald Macleish, histórias de Clifton Fadiman e Leo Rosten; capas e ilustrações de John Groth, Aaron Bohrod, William Sharp,

Russell Cowles? Absurdo? Talvez. Mas as ideias estão em todos os lugares, como maçãs caídas apodrecendo na grama por falta de estranhos caminhando com um olho e um gosto pela beleza, seja absurda, horrível ou refinada.

Gerard Manley Hopkins expressou tudo isso assim:

Glória a Deus pelas coisas tão coloridas...
Pelos céus matizados como vaca malhada;
Pelas róseas pintas salpicadas na truta que nada;
Castanhas caídas como carvão em brasa; asas de pintassilgo;
Paisagem riscada e partida — fechada, inculta, arada;
E todos os ofícios, ferramentas, vestimentas, instrumentos.
Tudo que é oposto, original, parco, esquisito;
Seja instável, sarapintado (ninguém sabe de nada?)
Ágil, lento; doce, azedo; luzidio, mortiço;
Ele, cuja beleza nunca muda, tem concebido:
Louvado seja.

Thomas Wolfe comia o mundo e vomitava lava. Dickens fazia refeições em uma mesa diferente a cada hora. Molière, provando a sociedade, virou-se para pegar o bisturi, como Pope e Shaw fizeram. Para todo canto que você olhar no universo literário, os grandes se ocuparam em amar e odiar. Você considerou essa ação primordial como obsoleta em sua escrita? Se sim, quanta diversão está perdendo. A diversão da raiva e da desilusão, a diversão de amar e ser amado, de emocionar e se emocionar com esse baile de máscaras que nos faz dançar do berço ao cemitério. A vida é curta, o pesar inevitável, a mortalidade certa. Mas, no trajeto, em seu trabalho, por que não carregar aqueles dois balões inflados chamados Entusiasmo e Animação? Com eles, na viagem ao túmulo, pretendo deixar alguns idiotas para trás, acariciar o cabelo de uma bela garota, acenar para um garotinho em cima de um caquizeiro.

Qualquer um que queira se juntar a mim, há espaço de sobra no Exército de Coxey.*

1973

* Famosa marcha de desempregados que rumou de Ohio para Washington, D.C., liderada pelo empresário Jacob Coxey, em 1894. Coxey alegava que, considerando os integrantes que se juntavam à marcha no caminho, chegaria à capital com mais de 100 mil homens, porém, quando a marcha alcançou Washington, havia apenas quinhentos homens. (N.T.)

CORRA MUITO, FIQUE IMÓVEL, OU: A COISA NO ALTO DA ESCADA, OU: NOVOS FANTASMAS DE MENTES ANTIGAS

CORRA MUITO, FIQUE IMÓVEL. É a lição dos lagartos. Para todos os escritores. Observe quase todo ser vivo e verá a mesma coisa. Saltar, correr, congelar. Em sua capacidade de partir num piscar de olhos, estalar como um chicote, evaporar, estar aqui em um instante, não estar mais no próximo, a vida fervilha na Terra. E quando essa vida não está correndo para escapar, está se fingindo de estátua para fazer a mesma coisa. Veja o beija-flor, está ali, não está ali. Como o pensamento que surge e desaparece num estalo, um vapor de verão; o pigarro de uma garganta cósmica, a queda de uma folha. E onde isso estava... em um sussurro.

O que os escritores podem aprender com os lagartos, roubar dos pássaros? Na rapidez está a verdade. Quanto mais rapidamente você falar, mais agilidade terá para escrever, mais sincero será. Na hesitação está o pensamento. Na demora vem o esforço por um estilo, em vez do salto para se dizer a verdade — e este é o *único* estilo pelo qual vale a pena entrar em uma ratoeira ou em uma armadilha.

E o que acontece entre corridas e voos? Seja um camaleão mesclado com tintas, troque cromossomos com a paisagem. Seja uma pedra de estimação,* deite-se na poeira, descanse na água da chuva no barril cheio pela calha que ladeava a janela de seus avós muito tempo atrás. Seja o licor de dente-de-leão no frasco de ketchup tampado e com a inscrição à tinta: Manhã de junho, primeiro dia de verão de 1923. Verão de 1926. Noite de fogos de artifício. 1927: Último dia de verão. ÚLTIMO DOS DENTES-DE-LEÃO, 1º de outubro.

E a partir disso tudo, termine com seu primeiro sucesso como escritor, a vinte dólares por história, na revista *Weird Tales*.

Como você *começará* a iniciar o princípio de um tipo quase novo de escrita para aterrorizar e assustar?

Em geral você tropeça nele. Você não sabe o que está fazendo e, de repente, está feito. Você não começa a reformar certo tipo de escrita. Ele evolui a partir de sua vida e dos terrores noturnos. De repente, você olha ao redor e enxerga que fez uma coisa quase nova.

O problema de qualquer escritor em qualquer área é ficar limitado àquilo que já foi antes ou ao que está sendo publicado exatamente naquele momento em livros e revistas.

Cresci lendo e amando as tradicionais histórias de fantasmas de Dickens, Lovecraft, Poe e, mais tarde, Kuttner, Bloch e Clark Ashton Smith. Tentei escrever histórias com intensa influência de vários desses escritores e consegui criar bolinhos de lama de quatro

* "*Pet rock*", no original, objeto colecionável criado pelo executivo Gary Dahl, que se tornou um grande sucesso nos anos 1970. Eram pedras lisas vendidas como animais de estimação, que vinham em caixas de papelão forradas de palha. (N.T.)

andares, cheio de linguagem e estilo, que não flutuavam e afundaram sem deixar rastros. Eu era jovem demais para identificar meu problema, estava ocupado demais imitando.

Eu quase deparei com meu eu criativo no último ano do ensino médio, quando escrevi uma espécie de longa lembrança do despenhadeiro profundo de minha cidade natal e meu medo dele à noite. Mas eu não tinha uma história que combinasse com o despenhadeiro, então minha descoberta da verdadeira fonte de minha futura escrita foi postergada em alguns anos.

A partir dos doze anos de idade, escrevia ao menos mil palavras por dia. Por anos, Poe olhava por sobre um ombro, enquanto Wells, Burroughs e praticamente todos os escritores das revistas *Astounding* e *Weird Tales* olhavam por sobre o outro.

Eu os amava, e eles me sufocavam. Não aprendi como desviar o olhar e, no processo, não olhava para mim mesmo, mas para aquilo que passava dentro da minha cabeça.

Somente quando iniciei a descoberta dos truques e dos prazeres que advinham da associação de palavras que comecei a encontrar um caminho real através dos campos minados da imitação. Por fim, descobri que, se vamos pisar em uma mina ativada, que seja a nossa mina. Se for para explodir, por assim dizer, que seja pelas *próprias* dores e delícias.

Comecei a fazer breves anotações e descrições de amores e ódios. Durante meus vinte e 21 anos, circulei por tardes de verão e meias-noites de outubro sentindo que, em algum lugar, nas estações brilhantes e escuras, devia haver algo que fosse realmente meu.

Por fim, descobri esse algo em uma tarde, quando tinha 22 anos. Escrevi o título "O lago" na primeira página de uma história que se finalizou duas horas depois. Duas horas depois de eu ter me sentado à minha máquina de escrever em um alpendre ensolarado, com lágrimas correndo até a ponta do nariz e os pelos da nuca arrepiados.

Por que os pelos se arrepiavam e o nariz escorria?

Percebi que tinha enfim escrito uma história realmente boa. A primeira em dez anos de escrita. E não era apenas uma história boa, mas era uma espécie de híbrido, algo que beirava o novo. Não era mesmo uma história de fantasmas tradicional, mas uma história sobre amor, tempo, lembrança e afogamento.

Enviei-a para Julie Schwartz, minha agente, que gostou, mas disse que não era uma história tradicional e provavelmente seria difícil vendê-la. A *Weird Tales* rodeou-a, cutucou com uma vara de três metros e, por fim, ora essa, decidiu publicá-la, embora a história não tivesse a ver com a revista. Mas precisei prometer que, da próxima vez, escreveria uma boa história de fantasmas à moda antiga! Eu prometi. Eles me deram vinte dólares, e todo mundo ficou feliz.

Bem, alguns de vocês sabem o que aconteceu. "O lago" foi reimpresso dezenas de vezes nos últimos 44 anos. E foi a história que fez vários editores de outras revistas erguerem os olhos e perceberem o rapaz de pelos arrepiados e nariz escorrendo.

Será que aprendi uma lição dura, rápida ou mesmo fácil com "O lago"? Não. Voltei a escrever histórias de fantasma à moda antiga, pois eu era jovem demais para entender muito de escrita, e durante anos minhas descobertas passaram despercebidas por mim. Eu estava perambulando por aí e escrevendo coisas ruins a maior parte do tempo.

Aos vinte e poucos anos, se minha ficção de horror sobrenatural era imitadora, com uma ou outra surpresa de um conceito e na execução, minha escrita de ficção científica era horrenda, e minha ficção policial beirava o ridículo. Eu sofria a influência profunda de minha querida amiga Leigh Brackett, que eu costumava encontrar todo domingo na Muscle Beach, em Santa Monica, Califórnia, para ler seus contos de alto nível de *Stark on Mars* ou invejar e tentar emular suas histórias de *Flynn's Detective*. No entanto, nesses anos, passei a fazer listas de títulos, anotar longas linhas de *substantivos*. Por fim, essas listas eram provocações que traziam o meu melhor à tona. Eu tateava meu caminho na direção de algo sincero, escondido sob o alçapão no alto do meu crânio.

A lista era mais ou menos assim:

O LAGO. A NOITE. OS GRILOS. O DESPENHADEIRO. O SÓTÃO. O PORÃO. O ALÇAPÃO. O BEBÊ. A MULTIDÃO. O TREM NOTURNO. A SIRENE DO NEVOEIRO. A SEGADEIRA. O PARQUE DE DIVERSÕES. O CARROSSEL. O ANÃO. O LABIRINTO DE ESPELHOS. O ESQUELETO.

Eu estava começando a ver um padrão na lista, nessas palavras que eu tinha simplesmente lançado no papel, confiando que meu subconsciente alimentasse os pássaros, por assim dizer.

Dando uma olhada na lista, descobri meu amor e meu medo antigos relacionados a circos e parques de diversões. Lembrei, depois esqueci, então lembrei de novo como fiquei aterrorizado quando minha mãe me levou pela primeira vez em um carrossel. Acrescentei meus gritos à balbúrdia de órgão a vapor gritando, mundo girando e cavalos horríveis saltando. Durante anos não cheguei perto de um carrossel. Quando de fato me aproximei de um novamente, décadas mais tarde, ele me levou para o meio de *Algo sinistro vem por aí*.

Porém, muito antes disso, continuei fazendo listas. A CAMPINA. A ARCA DE BRINQUEDOS. O MONSTRO. TIRANOSSAURO REX. O RELÓGIO DA CIDADE. O VELHO. A VELHA. O TELEFONE. AS CALÇADAS. O CAIXÃO. A CADEIRA ELÉTRICA. O MÁGICO.

À margem desses substantivos, tropecei em uma história de ficção científica que não era uma história de ficção científica.

Meu título era "F de Foguete". O título publicado foi "King of the Grey Spaces" [Rei dos espaços cinza], a história de dois garotos, grandes amigos, um eleito para ir à Academia Espacial, e o outro ficaria em casa. O conto foi rejeitado por todas as revistas de ficção científica, pois, no fim das contas, era apenas uma história sobre amizade sendo testada pelas circunstâncias, embora a circunstância fosse uma viagem espacial. Mary Gnaedinger, da *Famous Fantastic Mysteries*, deu uma olhada na minha história e a publicou. Mas, outra vez, eu era jovem demais para enxergar que "F de Foguete" seria o tipo de história que me tornaria um escritor de ficção científica, admirado por alguns e criticado por muitos que observavam que eu não era escritor de ficção científica, eu era um escritor de "pessoas", e que se dane!

Continuei fazendo listas que tinham a ver não apenas com noite, pesadelos, escuridão e objetos em sótãos, mas com brinquedos com os quais os homens brincam no espaço e com as ideias que encontrava em revistas policiais. A maioria do material detetivesco que publiquei aos 24 anos nas revistas *Detective Tales* e *Dime Detective* não vale a pena reler. Aqui e ali dei algumas tropeçadas, e fiz um trabalho quase bom ao me lembrar do México, que me assustava, ou do centro de Los Angeles durante as revoltas de Pachuco. Mas precisaria de boa parte de meus quarenta anos para assimilar o gênero policial/de mistério/suspense e fazer com que ele funcionasse em meu romance *Death Is a Lonely Business* [A morte é um negócio solitário].

Mas voltemos às minhas listas. E *por que* voltar a elas? Aonde o estou levando? Bem, se você for escritor ou escritora ou espera sê-lo, listas parecidas desencavadas do lado torto de seu cérebro talvez o ajudem a *se* descobrir, do mesmo jeito que eu me debati até finalmente me encontrar.

Eu começava a percorrer essas listas, escolhia um substantivo e, em seguida, me sentava para escrever um ensaio-poema-prosa longo sobre ele.

Em algum momento no meio da página ou, talvez, na segunda página, o poema em prosa se transformava em uma história. Quer dizer, uma personagem de repente aparecia e dizia: "Aqui estou eu" ou "Aqui está uma ideia da qual *eu gosto*!". E a personagem terminava o conto para mim.

Começou a ficar óbvio que eu estava aprendendo com as minhas listas de substantivos e que estava aprendendo também que minhas *personagens* fariam meu trabalho *por mim* se eu as deixasse em paz, se eu lhes desse uma cabeça, ou seja, suas fantasias, seus medos.

Olhei para minha lista, vi ESQUELETO e me lembrei dos meus primeiros trabalhos de arte na infância. Eu desenhava esqueletos para assustar minhas primas. Ficava fascinado com aquelas despojadas exibições médicas de crânios, costelas e ossos pélvicos. Minha música favorita era "Tain't No Sin, To Take Off Your Skin, and Dance Around in Your Bones".*

Lembrando meu primeiro desenho e minha música favorita, entrei no consultório do médico um dia com a garganta inflamada. Toquei meu pomo de adão, os tendões de cada lado do pescoço e pedi seu conselho médico.

— Sabe qual é seu problema? — perguntou o doutor.

— Qual?

— *Descoberta* da laringe! — grasnou ele. — Tome uma aspirina. Dois dólares a consulta, por favor!

* "Não é pecado tirar a pele e sair dançando só com seus ossos." Trecho e título de música de Walter Donaldson, com letra de Edgar Leslie, lançada em 1929. (N.T.)

Descoberta da laringe! Meu Deus, que *bonito*! Corri para casa, sentindo minha garganta, e depois minhas costelas e, em seguida, meu bulbo raquidiano e minhas rótulas. Minha nossa! Por que não escrever uma história sobre um homem que fica aterrorizado ao descobrir que, embaixo da pele, dentro da carne, *escondido*, existe um símbolo de todos os horrores góticos na história — um esqueleto!?

A história escreveu-se em poucas horas.

Um conceito perfeitamente óbvio, ainda assim ninguém mais na história da escrita de contos de horror sobrenatural jamais o havia transformado em palavras. Mergulhei na máquina de escrever e emergi dela com um conto novinho em folha, absolutamente original, que estava à espreita embaixo da minha pele desde que desenhei um crânio em cima de ossos cruzados pela primeira vez, aos seis anos de idade.

Comecei a ganhar fôlego. As ideias vinham mais rápido agora, e todas provenientes de minhas listas. Perambulava no sótão de meus avós e no seu porão. Ouvia as locomotivas no meio da noite uivando pelas paisagens ao norte de Illinois, e aquela era a morte, um trem funerário levando meus entes queridos para algum cemitério distante. Lembrei-me das cinco da manhã, das chegadas do circo de Ringling Brothers, Barnum and Bailey, no raiar do dia, e de todos os animais em procissão antes do nascer do sol, seguindo para a campina vazia onde as grandes tendas se erguiam como incríveis cogumelos. Lembrei-me do Sr. Electrico e de sua cadeira elétrica itinerante. Lembrei-me de Blackstone, o Mágico, dançando com seus lenços mágicos e fazendo elefantes desaparecerem no palco da minha cidade natal. Lembrei-me de meu avô, minha irmã e de várias tias e primos, em seus caixões, para sempre desaparecidos nas covas, onde as borboletas pousavam como flores nos túmulos e onde as flores voavam como borboletas sobre as lápides.

Lembrei-me do meu cachorro, perdido por dias, voltando tarde para casa, em uma noite de inverno, com neve, lama e folhas nos pelos. E as histórias começaram a pipocar, a explodir daquelas lembranças escondidas nos substantivos, perdidas nas listas.

Minha lembrança de meu cachorro e de sua pelagem invernal transformou-se em "O emissário", a história de um garoto doente e acamado que manda seu cachorro sair para recolher as estações do ano em sua pelagem e voltar. Então, uma noite, o cão volta de uma jornada ao cemitério e traz "companhia" consigo.

Meu título da lista A VELHA transformou-se em duas histórias, uma "Havia uma velha senhora", sobre uma senhora que se recusa a morrer e exige que seu corpo volte da funerária, desafiando a Morte, e a segunda, "Season of Disbelief" [Estação da descrença], sobre crianças que se recusam a acreditar que uma velha senhora já fora jovem, até mesmo uma garota, uma menina. A primeira história apareceu na minha primeira coletânea, *Dark Carnival* [Parque de diversões sombrio]. A segunda fez parte de um teste de associação de palavras que fiz para mim mesmo chamado *Licor de dente-de-leão*.

Claro que podemos ver agora (não podemos?) que é a observação pessoal, a ilusão bizarra, a presunção estranha que compensam. Fiquei fascinado por pessoas velhas. Tentei resolver seu mistério com meus olhos e minha mente de jovem, mas me surpreendia o tempo todo ao perceber que, em um tempo muito distante, eles foram eu, e em algum dia, lá na frente, eu seria eles. Absolutamente impossível! Ainda assim, havia garotos e garotas trancados em corpos velhos, uma situação horrenda, um ardil terrível bem diante de meus olhos.

Fuçando na minha lista, de novo, peguei o título O JARRO, resultado de minha estupefação ao encontrar uma série de embriões em exposição em um parque de diversões quando eu tinha doze anos e de novo quando eu tinha catorze. Naqueles dias distantes de 1932 e 1934, nós, crianças, não sabíamos de nada, claro, de absolutamente nada sobre sexo e procriação. Então, é de imaginar como fiquei surpreso quando passei por uma exposição gratuita no parque de diversões e vi todos aqueles fetos de humanos, gatos e cães, exibidos em jarros rotulados. Fiquei chocado com a aparência daqueles mortos não nascidos, e com os novos mistérios da vida que eles fizeram surgir na minha cabeça mais tarde naquela noite e durante anos. Nunca falei dos jarros e dos fetos em formaldeído com meus pais. Sabia que eu havia deparado com algumas verdades e era melhor não as discutir.

Tudo isso veio à tona, claro, quando escrevi "O jarro", e o parque de diversões e os fetos expostos e todos os antigos terrores escorreram da ponta de meus dedos para dentro da minha máquina de escrever. O antigo mistério finalmente encontrou um lugar de descanso, em uma história.

Encontrei outro título na minha lista, A MULTIDÃO. E datilografando furiosamente, relembrei uma colisão terrível quando eu tinha quinze anos, quando corri da casa de um amigo para procurar o estrondo e encontrar um carro que havia atingido um obstáculo na rua e batido em um poste telefônico. O carro partiu-se ao meio. Duas pessoas jaziam mortas na calçada, outra mulher morreu bem quando cheguei até ela com seu rosto destruído. Outro homem morreu um minuto depois. Outro ainda morreu no dia seguinte.

Nunca tinha visto nada desse tipo. Caminhei para casa, trombando nas árvores, em choque. Foram meses até superar o horror daquela cena.

Anos mais tarde, com a lista à minha frente, lembrei uma série de coisas peculiares sobre aquela noite. O acidente ocorreu em uma interseção cercada, de um lado, por fábricas vazias e um pátio escolar deserto e, do lado oposto, por um cemitério. Vim correndo da casa mais próxima, a quase cem metros de distância. Ainda assim, em instantes, parecia que uma multidão havia se reunido. De onde tinham vindo todas aquelas pessoas? Mais tarde, pude apenas imaginar que alguém tinha vindo, de algum jeito estranho, das fábricas vazias ou, ainda mais estranho, do cemitério. Depois de datilografar apenas por alguns minutos, me ocorreu que, sim, aquela multidão era *sempre* a mesma multidão que se reunia em *todos* os acidentes. Eram vítimas de acidentes de anos atrás, condenados a voltar e a assombrar a cena dos novos acidentes, quando estes ocorriam.

Quando cheguei a essa ideia, a história se finalizou sozinha em uma única tarde.

Enquanto isso, os artefatos do parque de diversões estavam ficando cada vez mais próximos, seus grandes ossos começando a se projetar através da minha pele. Eu estava fazendo digressões em poemas em prosa sobre circos que chegavam bem depois da meia-noite. Durante aqueles anos, no início de meus vinte anos, perambulando em um labirinto de espelhos no velho Píer de Venice com meus amigos Leigh Brackett e Edmond Hamilton, Ed de repente gritou: "Vamos sair daqui antes que Ray escreva uma história sobre um anão que paga para entrar aqui toda noite e poder ficar alto no grande espelho de alongamento!". "É isso!", gritei, e corri para casa para escrever "O anão". "Preciso aprender a ficar de boca fechada", disse Ed quando leu a história na semana seguinte.

Claro, O BEBÊ naquela lista era eu.

Eu me lembrei de um antigo pesadelo. Era sobre nascer. Lembrei-me de estar deitado em um berço, com três dias de idade, chorando ao saber que fui cuspido para o mundo; a pressão, o frio, os gritos na vida. Eu me lembro do peito da minha mãe. Lembro-me do médico, no quarto dia da minha vida, curvando-se sobre mim com um bisturi para fazer uma circuncisão. Eu lembrei, eu lembrei.

Troquei o título de O BEBÊ para "O pequeno assassino". Essa história entrou em antologias dezenas de vezes. Vivi a história, ou parte dela, desde a primeira hora da minha vida em diante, e somente me lembrei dela e a datilografei aos meus vinte e poucos anos.

Eu escrevi histórias baseadas em cada substantivo em minhas páginas e páginas de listas?

Nem sempre. Mas uma grande parte. O ALÇAPÃO, na lista em 1942 ou 1943, não veio à tona até três anos atrás, como uma história para a revista *Omni*.

Outra história sobre meu cão e eu levou mais de cinquenta anos para emergir. Em "Abençoe-me, padre, porque pequei", voltei no tempo para reviver uma surra que dei em meu cão quando eu tinha doze anos e pela qual nunca me perdoei. Escrevi a história para finalmente examinar aquele garoto cruel e triste e pôr seu fantasma, e o fantasma de meu cão tão amado, para descansarem para sempre. Por acaso, era o mesmo cachorro que trouxe a "companhia" do cemitério em "O emissário".

Durante esses anos, Henry Kuttner, juntamente com Leigh, foi meu professor. Ele sugeria autores — Katherine Anne Porter, John Collier, Eudora Welty — e livros — *The Lost Weekend*, *One Man's Meat*, *Rain in the Doorway* — para lermos e aprendermos com eles. Ao longo dessa trajetória, ele me deu um exemplar de *Winesburg, Ohio*, de Sherwood Anderson. Ao terminar o livro, disse a mim mesmo: "Um dia eu gostaria de escrever uma história que se passe em Marte, com pessoas parecidas". Imediatamente fiz uma lista do tipo de gente que eu gostaria de mandar a Marte para ver o que aconteceria.

Esqueci *Winesburg, Ohio* e minha lista. Por anos escrevi uma série de histórias sobre o Planeta Vermelho. Um dia me dei conta de que o livro estava terminado, a lista completa, e *As crônicas marcianas* estavam a caminho da publicação.

Então, é isso. Em suma, uma série de substantivos, alguns com raros adjetivos, que descrevia um território desconhecido, um país não descoberto, parte dele Morte, o restante Vida. Se eu não tivesse inventado essas prescrições para a Descoberta, nunca teria me tornado o arqueólogo e antropólogo "corvo" que sou. Aquele corvo que procura objetos brilhantes, carapaças antigas e fêmures deformados das pilhas de ossos do lixão dentro da minha cabeça, onde se espalham os restos de colisões com a vida, bem como Buck Rogers, Tarzan, John Carter, Quasímodo e todas as outras criaturas que me fizeram querer viver para sempre.

Nas palavras da antiga canção da ópera *Mikado*, eu tinha uma lista pequena, exceto pelo fato de que era longa, que me levou até o país de *Licor de dente-de-leão* e me ajudou a mudar o país de *Licor de dente-de-leão* para Marte, e me fez ricochetear para o obscuro território do vinho quando o trem noturno do sr. Dark chegou muito antes da aurora. Mas a primeira e mais importante pilha de substantivos foi aquela preenchida com as folhas sussurrantes ao longo de calçadas às três da manhã e com os cortejos funerários seguindo ao lado de trilhos ferroviários vazios, e com os grilos que, de repente, por motivo nenhum, se calavam, e aí era possível ouvir o coração, desejando não conseguir.

O que nos leva a uma revelação final...

Um dos substantivos em minha lista do ensino médio foi Coisa, ou, melhor ainda, A Coisa no alto da escada.

Durante a minha infância em Waukegan, Illinois, havia apenas um banheiro na casa, que ficava no andar de cima. Era preciso subir e percorrer um corredor escuro até encontrar uma luz e acendê-la. Tentei fazer com que meu pai deixasse a luz ligada a noite toda, mas era caro. A luz ficava apagada.

Por volta das duas ou três da manhã, eu precisava ir ao banheiro. Ficava deitado na cama por mais ou menos meia hora, dividido entre a necessidade agoniada de me aliviar e aquilo que eu sabia estar me esperando no corredor escuro que levava ao sótão. Por fim, impulsionado pelo sofrimento, eu atravessava nossa sala de jantar e entrava naquele corredor, pensando: corra muito, salte, ligue a luz, mas, aconteça o que acontecer, não olhe para cima. Se olhar para cima antes de acender a luz, *Ela* vai estar lá. A Coisa. A terrível Coisa que espera no alto da escada. Então, corra cegamente; não olhe.

Eu corria, eu pulava. Mas não conseguia evitar e, no último momento, sempre piscava e encarava a horrenda escuridão. E ela sempre estava lá. E eu gritava e rolava escada abaixo, acordando meus pais. Meu pai grunhia e se virava na cama, imaginando de onde tinha vindo aquele seu filho. Minha mãe se levantava, me encontrava caído no corredor e subia para ligar a luz. Ela esperava até que eu subisse ao banheiro e voltasse, para dar um beijo no meu rosto molhado de lágrimas e colocar meu corpo aterrorizado na cama.

Na noite seguinte, na próxima e na outra ainda a mesma coisa acontecia. Enlouquecido por minha histeria, meu pai encontrou um velho penico e o pôs embaixo da minha cama.

Mas eu nunca me curei. A Coisa permaneceu para sempre lá. Somente quando nos mudamos, quando eu tinha treze anos, me livrei daquele terror.

O que fiz, há pouco tempo, com aquele pesadelo? Bem...

Agora, muito tempo depois, A Coisa está lá no alto da escada, ainda esperando. De 1926 até hoje, no fim do primeiro semestre de

1986, houve uma longa espera. Mas, por fim, olhando minha lista sempre confiável, datilografei o substantivo no papel, acrescentando "A Escada", e finalmente encarei a escalada no escuro e o frio do sótão, que permaneceram no mesmo lugar por sessenta anos, esperando um pedido para que descessem pelas pontas congeladas dos meus dedos até a corrente sanguínea. A história, criada a partir das minhas lembranças, foi terminada nesta semana, enquanto eu ainda escrevia este ensaio.

Deixo você agora no primeiro degrau de sua escada, à meia-noite e meia, com um bloco de notas, uma caneta e uma lista a ser feita. Invoque os substantivos, alerte o eu secreto, prove a escuridão. Sua Coisa está esperando no caminho até as sombras do sótão. Se falar com suavidade e escrever qualquer antiga palavra que queira saltar de seus nervos para a página...

Sua Coisa no alto da escada em sua noite particular... pode muito bem *descer* até você.

1986

COMO ALIMENTAR E MANTER UMA MUSA

NÃO É FÁCIL. Ninguém jamais fez isso de forma constante. Aqueles que tentam com mais afinco a espantam para dentro da floresta. Aqueles que viram as costas e saem tranquilos, assobiando baixinho entre dentes, a ouvem caminhando atrás deles em silêncio, atraída por um desdém adquirido com cuidado.

Claro que estamos falando da Musa.

O termo caiu em desuso em nossos tempos. Quando o ouvimos agora, é quase certo de que sorriremos e invocaremos imagens de alguma deusa grega frágil, vestida com folhas, harpa em mãos, acariciando nossa fronte suada de escriba.

Então, a Musa é a mais apavorada de todas as virgens. Ela se assusta quando ouve um som, empalidece quando você faz perguntas, dá meia-volta e desaparece se você toca seu vestido.

O que a aflige?, você pergunta. Por que ela se encolhe quando a encaramos? De onde ela vem e aonde vai? Como podemos fazer com que sua visita dure períodos mais longos? Que temperatura a agrada? Ela gosta de vozes altas ou baixas? Onde se compra comida para ela, de qual qualidade e em qual quantidade, e quais são os horários das refeições?

Podemos começar parafraseando o poema de Oscar Wilde, substituindo a palavra "Amor" por "Arte".

A Arte voará se segurá-la com mão leve,
A Arte morrerá presa com mão que pese,
Com mão leve ou pesada, como posso saber
Se deixo a Arte ir ou a faço permanecer?

Substitua "Arte", se desejar, por "Criatividade" ou "Subconsciente" ou "Calor" ou seja lá que palavra use para dizer o que acontece quando você gira como uma roda de fogo e uma história "acontece". Outra maneira de descrever a Musa talvez seja acessar novamente aquelas manchinhas de luz, aquelas bolhas de ar que flutuam diante da visão de todo mundo, diminutas imperfeições nas lentes ou na membrana transparente externa do olho. Despercebidas por anos, quando você concentra a atenção nelas, podem virar incômodos insuportáveis na atenção de uma pessoa em todas as horas do dia. Perturbam o que você está olhando quando ficam no caminho. As pessoas vão a psiquiatras com problemas de "manchas". A prescrição inevitável: ignore-as, e elas desaparecerão. O fato é que elas não desaparecem; elas permanecem, mas nos concentramos no que há além delas, no mundo e nos objetos sempre mutantes do mundo, como se deve.

Então, o mesmo se dá com nossa Musa. Se nos concentrarmos no que há além dela, ela recupera a postura e sai do caminho.

Sou da opinião de que para manter uma Musa é preciso primeiro oferecer comida. É um pouco difícil explicar como é possível alimentar algo que não está lá. Mas vivemos cercados por paradoxos. Mais um não deve doer.

O fato é bem simples. Durante a vida toda, ao ingerir comida e água, formamos células, crescemos e ficamos maiores e mais substanciais. Aquilo que não era, *é*. O processo não é detectável. Pode ser analisado apenas em intervalos durante o trajeto. Sabemos que está acontecendo, mas não sabemos muito bem como ou por quê.

De forma semelhante, durante a vida, nos enchemos de sons, visões, cheiros, gostos e texturas de pessoas, animais, paisagens, eventos, grandes e pequenos. Enchemo-nos dessas impressões e experiências e de nossas reações a elas. Em nosso subconsciente não entram apenas dados factuais, mas dados reativos, nosso movimento na direção de eventos percebidos ou para longe deles.

Esses são os materiais, os alimentos, com os quais a Musa cresce. É o armazém, o arquivo do qual precisamos lançar mão a cada hora de vigília para comparar realidade com lembrança, e durante o sono para comparar lembrança com lembrança, que significa fantasma com fantasma, para exorcizá-los, se necessário.

AQUILO QUE PARA QUALQUER pessoa é o subconsciente, transforma-se para quem escreve em seu aspecto criativo, a Musa. São dois nomes para a mesma coisa. Mas não importa como a chamamos, aqui está o núcleo do indivíduo que fingimos exaltar, para quem montamos altares e mantemos uma retórica em nossa sociedade democrática. Aqui está o material da originalidade, pois é na totalidade da experiência considerada, registrada e esquecida que cada homem é verdadeiramente diferente de todos os outros no mundo. Pois nenhum homem vê os mesmos eventos na mesma ordem na vida. Um homem encara a morte mais jovem que outro, um homem conhece o amor mais rapidamente que outro. Dois homens, como sabemos, vendo o mesmo acidente, registram-no com referências cruzadas diferentes, em outra parte de seu alfabeto alheio. Não há cem elementos, mas 2 bilhões de elementos no mundo. Cada um os analisará de forma diferente nos espectroscópios e escalas.

Sabemos o quanto cada pessoa é nova e original, mesmo a mais lenta e embotada. Se a acessarmos de forma correta, falarmos com ela e a deixarmos tranquila, dizendo, por fim: "O que você deseja?" (Ou, se for muito velha: "O que você *desejou*?"), ela vai revelar seu sonho. E quando uma pessoa fala com o coração, em seu momento de verdade, suas palavras são poesia.

Não vi isso acontecer uma vez, mas mil vezes na vida. Meu pai e eu só nos tornamos grandes amigos muito tarde na vida. Sua linguagem, seus pensamentos do dia a dia não eram notáveis, mas sempre quando eu dizia "Pai, me fala sobre Tombstone quando você tinha dezessete anos" ou "sobre os campos de trigo de Minnesota quando você tinha vinte", meu pai começava a falar sobre ter fugido de casa quando tinha dezesseis anos, indo para o Oeste no início do século XX, antes de as últimas fronteiras serem fixadas — quando não havia rodovias, apenas estradas para cavalos, trilhos de trem, e a Febre do Ouro estava em Nevada.

Não, não era no primeiro, no segundo ou no terceiro minuto que algo acontecia com a voz de meu pai, que a cadência certa ou as palavras corretas surgiam. Mas depois que ele falava por cinco ou seis minutos e acendia seu cachimbo, de repente a antiga paixão voltava, os dias de outrora, as músicas antigas, o clima, a luz do sol, o som das vozes, os vagões fechados, viajando tarde da noite, as prisões, os trilhos se fechando em pó de ouro lá atrás, enquanto o Oeste se abria — tudo, tudo isso, a cadência ali, o momento, os muitos momentos de verdade e, portanto, de poesia.

A Musa de repente estava lá para o meu pai.

A Verdade chegava fácil à sua mente.

O Subconsciente dizia o que precisava, intocado, e fluía de sua língua.

Do jeito que precisamos aprender a fazer com a nossa escrita.

Do jeito que podemos aprender com cada homem, mulher ou criança que esteja por perto quando, tocado ou emocionado, conta algo que amou ou odiou naquele dia, ontem, ou em algum outro dia passado. Em um determinado momento, o pavio, umedecido, depois de faiscar, se acende, e os fogos de artifício começam.

Ah, para muitos, a seu modo, é um trabalho árduo, bruto e claudicante lidar com a linguagem. Mas ouvi fazendeiros contarem sobre sua primeira safra de trigo depois de se mudarem para outro estado, e se não era o poeta Robert Frost falando, era seu primo de quinto grau. Ouvi maquinistas falarem sobre a América com um jeitão de Thomas Wolfe, que viajou pelo nosso país com seu estilo como aqueles viajaram sobre rodas de aço. Ouvi mães falarem da longa noite com seu primogênito quando ficaram com medo de que elas e o bebê pudessem morrer. E ouvi minha avó falar de seu primeiro baile, quando tinha dezessete anos. E todos eles, quando a alma se aquecia, viravam poetas.

Se parece que dei uma grande volta, talvez eu tenha dado mesmo. Mas quis mostrar o que todos temos dentro de nós, que sempre esteve ali e que tão poucos de nós nos damos ao trabalho de perceber. Quando as pessoas me perguntam de onde eu tiro minhas ideias, eu dou risada. Como é estranho... estamos tão preocupados olhando para fora, tentando encontrar caminhos e meios, que nos esquecemos de olhar *para dentro*.

A Musa, para repisar essa ideia, está aí, um depósito fantástico, nosso ser completo. Tudo isso é o que há de mais original e espera que nós o invoquemos. E, apesar disso, sabemos que não é tão fácil assim. Sabemos como é frágil o padrão tecido por nossos pais, tios ou amigos, que podem ter seu momento destruído por uma palavra errada, uma porta batida ou um carro de bombeiro passando. Então, o embaraço, a vergonha, as críticas lembradas podem enrijecer o cidadão médio de forma que cada vez menos ele consiga se abrir em sua vida.

Digamos que cada um de nós tenha, primeiro, se alimentado de vida, e, mais tarde, de livros e revistas. A diferença é que no início nos alimentamos de um conjunto de eventos que aconteceu conosco, e depois a alimentação foi forçada.

Se vamos fazer uma dieta para nosso subconsciente, como preparar o cardápio?

Bem, talvez possamos começar nossa lista da seguinte forma:

Leia poesia todos os dias. A poesia é boa porque exercita músculos que não usamos com frequência. A poesia expande os sentidos e os mantém afiados. Mantém a pessoa consciente de seu nariz, olhos, orelhas, língua, mãos. E, acima de tudo, a poesia é metáfora ou símile compactados. Essas metáforas, como flores de papel japonesas, podem se expandir em formas gigantescas. As ideias estão em todo canto nos livros de poesia, ainda assim é raro ouvir professores de escrita recomendar que se passeie por eles.

Minha história "A praia ao pôr do sol" é resultado direto da leitura do belo poema de Robert Hillyer sobre encontrar uma sereia perto do Rochedo de Plymouth. Minha história "Chuvas leves virão" é baseada no poema homônimo de Sara Teasdale, e o corpo da história abrange o tema de seu poema. Um capítulo do meu romance *As crônicas marcianas*, "... E a lua continua brilhando", que descreve uma raça morta de marcianos que não mais singrará mares vazios tarde da noite, veio de Byron. Nesses casos, e em dezenas de outros, eu tive uma metáfora que saltou sobre mim, me girou e me fez correr para criar uma história.

O que é poesia? Qualquer poema que lhe cause um arrepio. Não se force demais. Pegue leve. Com o passar dos anos, você vai se atualizar, avançar e passar, em seu caminho, por T.S. Eliot, até outras paragens. Você diz que não entende Dylan Thomas? Sim, mas seus gânglios entendem, e sua sagacidade secreta e todos os seus filhos ainda não nascidos. Leia-o como consegue ler um cavalo com os olhos, liberte e avance para uma campina verde infinita em um dia de vento.

O QUE MAIS CABE em sua dieta?

Livros de ensaios. Aqui, de novo, seja exigente, perambule pelos séculos. Você terá que analisar bem o período antes de os ensaios se tornarem menos populares. É difícil dizer quando se vai desejar saber os aspectos mais sofisticados de ser um pedestre, de cuidar de abelhas, esculpir lápides ou brincar de rolar aros. Esse é o momento em que você banca o diletante, e em que compensa sê-lo. De fato, jogamos aqui pedras em um poço. Cada vez que ouvimos um eco de nosso subconsciente, nos conhecemos um pouco mais. Um eco baixinho pode iniciar uma ideia. Um eco alto pode resultar em uma história.

Para sua leitura, encontre livros para melhorar sua noção de cores, sua noção de forma e tamanho no mundo. Por que não aprender sobre olfato e audição? Às vezes, suas personagens precisarão usar nariz e ouvidos, ou talvez possam não identificar metade dos cheiros e sons da cidade, e todos os sons da natureza ainda vão estar soltos nas árvores e nos gramados da cidade.

Por que toda essa insistência nos sentidos? Pois, para convencer seu leitor de que ele está *lá*, você precisa atacar cada um desses sentidos com cor, som, gosto e textura. Se seu leitor sentir o sol na pele, o vento balançando as mangas da camisa, metade de sua batalha está vencida. É possível transformar as histórias mais improváveis em contos verossímeis se seu leitor, por meio dos sentidos, estiver seguro de que está no meio dos eventos. Ele não conseguirá se recusar a participar. A lógica de eventos sempre abre espaço para a lógica dos sentidos. A menos que, claro, você faça algo realmente imperdoável para arrancar o leitor do contexto, como fazer com que a Revolução Americana seja vencida com metralhadoras, ou introduzir dinossauros e homens da caverna na mesma cena (milhões de anos separam sua existência). Mesmo neste último caso, uma máquina do tempo bem descrita e tecnicamente perfeita poderá suspender de novo a descrença.

Poesia, ensaios. E as narrativas breves, os romances? Claro. Ler aqueles autores que escrevem do jeito que você espera escrever, aqueles que pensam do jeito que você gostaria de pensar. Mas também leia os que não pensam como você ou que não escrevam como você quer escrever, a fim de receber estímulos para direções que talvez você não vá tomar durante muitos anos. De novo, não deixe que o esnobismo alheio impeça que, digamos, você leia Kipling, ainda que ninguém mais o leia.

Nossa cultura e nossos tempos são imensamente ricos em lixo e tesouros. Às vezes, é um pouco difícil separar lixo de tesouro, então recuamos, com medo de nos afirmarmos. Mas como estamos aqui para criarmos textura, colecionarmos verdades em muitos níveis e, de muitas maneiras, nos testarmos diante da vida e das verdades de outros que nos são oferecidas em revistas em quadrinhos, programas de TV, livros, revistas, jornais, peças e filmes, não deveríamos temer ser vistos em companhias estranhas. Sempre me senti bem na companhia de Ferdinando Buscapé, de Al Capps. Acho que há muito a se aprender sobre psicologia infantil com as personagens de Charles Schulz, como o Charlie Brown. Existia um mundo inteiro de aventuras românticas, belamente desenhado por Hal Foster, em seu *Príncipe valente*. Quando garoto, eu as colecionava, e talvez tenha sido influenciado em meus livros mais antigos pelas maravilhosas tirinhas diárias da classe média norte-americana "Out Our Way", de J. C. Williams. Sou tanto espectador de Charlie Chaplin em *Tempos modernos*, de 1935, quanto leitor de Aldous Huxley, em 1961. Não sou uma coisa apenas. Sou muitas coisas que os Estados Unidos foram em minha época. Tenho noção suficiente para progredir, aprender, crescer. E nunca ofendi ou virei as costas para as coisas com as quais cresci. Aprendi com Tom Swift e com George Orwell. Deliciei-me com o *Tarzan* de Edgar Rice Burroughs (e ainda respeito aquela antiga delícia, e não sofri lavagem cerebral com ela), bem como me delicio com *Cartas de um diabo a seu aprendiz*, de C. S. Lewis. Conheci Bertrand Russell e Tom Mix, e minha Musa cresceu nesse terreno fértil de coisas boas, ruins e indiferentes. Sou uma criatura que consegue lembrar com carinho não apenas dos afrescos de Michelangelo no Vaticano, mas também dos sons há muito esquecidos do programa de rádio *Vic and Sade*.

QUAL É O PADRÃO que reúne tudo isso? Se eu alimentei minha Musa em partes iguais de lixo e tesouro, como cheguei ao fim da vida com o que algumas pessoas consideram histórias aceitáveis?

Acredito que uma coisa reúne tudo isso. Tudo que já fiz foi feito com empolgação, porque quis fazer, porque amei fazê-lo.

O maior homem do mundo para mim, um dia, foi Lon Chaney, foi Orson Welles em *Cidadão Kane*, foi Laurence Olivier em *Ricardo III*. Os homens mudam, mas uma coisa permanece sempre igual: a febre, o ardor, o prazer. Porque quis fazer, fiz. Onde quis me alimentar, me alimentei. Lembro-me de perambular, perplexo, saindo de um palco na minha cidade natal, segurando um coelho vivo que Blackstone, o Mágico, me deu na maior de suas apresentações! Lembro-me de perambular, perplexo, em meio às ruas de papel machê da Exposição do Século de Progressos de Chicago, em 1933; nos salões dos doges venezianos na Itália, em 1954. A qualidade de cada evento foi imensamente diversa, mas minha capacidade de beber deles foi a mesma.

Não significa dizer que a reação de uma pessoa a tudo em um determinado período deveria ser semelhante. Em primeiro lugar, não pode ser. Aos dez anos de idade, Júlio Verne é aceito, Huxley, rejeitado. Aos dezoito, Thomas Wolfe é aceito, e Buck Rogers, abandonado. Aos trinta, Melville é descoberto, e Thomas Wolfe, perdido.

Permanece a constante: a busca, o encontro, a admiração, o amor, a reação honesta aos materiais em mãos, não importa o quanto pareçam desgastados um dia quando se olha para trás. Aos dez anos, solicitei uma estátua de um gorila africano feito da cerâmica mais barata como recompensa por eu enviar uma embalagem do macarrão Fould's Macaroni. O gorila, que chegou pelo correio, teve uma recepção tão grande quanto aquela dada à estátua do Menino Davi em sua inauguração.

Então, a alimentação da Musa, à qual dedicamos a maior parte de nosso tempo neste ensaio, me parece ser a perseguição contínua de amores, o confronto desses amores ante as necessidades presentes e futuras, o avanço das texturas simples às mais complexas, das ingênuas às mais informadas, das não intelectuais às intelectuais. Nada se perde. Se você avançou por territórios vastos e ousou amar coisas tolas, você aprendeu até mesmo com os itens mais primitivos coletados e descartados em sua vida. A partir de uma curiosidade cada vez mais itinerante em todas as artes, de programas ruins de rádio ao bom teatro, das canções de ninar à sinfonia, do passeio ao zoológico a *O castelo*, de Kafka, há uma excelência básica a ser separada, verdades a serem encontradas, mantidas, saboreadas e usadas algum dia. Ser uma criança em seu tempo significa fazer todas essas coisas.

Não vire as costas, por dinheiro, para todas as coisas que você colecionou durante a vida.

Não vire as costas, pela vaidade de publicações intelectuais, para quem você é — o material dentro de você que o torna um indivíduo e, portanto, indispensável para os outros.

Então, para alimentar sua Musa, você deve sempre ter fome de vida desde a infância. Senão, é um pouco tarde para começar. Mas antes tarde do que nunca, claro. Você sente que pode?

Significa que você ainda precisa dar longas caminhadas à noite por sua cidade ou pelo campo durante o dia. E longas caminhadas, a qualquer momento, por livrarias e bibliotecas.

E enquanto se alimenta, como *manter* sua Musa é nosso problema final.

A Musa precisa ter um formato. Você vai escrever mil palavras por dia por dez ou vinte anos para tentar lhe dar uma forma, aprender o suficiente sobre gramática e construção de histórias de modo que elas se tornem parte do Subconsciente, sem restringir ou distorcer a Musa.

Ao viver bem, observando como você vive, ler bem e observando enquanto lê, você alimentou Seu Eu Mais Original. Ao treinar-se na escrita pelo exercício repetitivo, a imitação, o bom exemplo, você abriu um espaço limpo e bem iluminado para manter a Musa. Você deu espaço para que ela, ele, ou o que seja, surja. E com a prática, você vai ter relaxado o suficiente para não encarar a inspiração de forma descortês quando ela entrar na sala.

Você aprendeu a ir logo para a máquina de escrever e manter a inspiração durante todo o tempo, passando-a para o papel.

Você aprendeu a responder à questão anterior: a criatividade gosta de vozes altas ou baixas?

A voz alta, apaixonada, parece agradar mais. A voz exaltada, em conflito, a comparação de opostos. Sente-se em frente a sua máquina de escrever, pegue personagens de vários tipos, deixe que voem juntos em um grande estrondo. Logo seu eu secreto será despertado. Todos nós gostamos de decisão, declaração; qualquer um que faça barulho a favor, qualquer um que faça barulho contra.

Não significa dizer que a história silenciosa será deixada de lado. É possível ficar tão empolgado e apaixonado com uma história silenciosa como com qualquer outra. Há empolgação na calma tranquila de uma *Vênus de Milo*. O espectador aqui se torna tão importante quanto aquilo que se vê.

Tenha certeza de uma coisa: quando o amor sincero fala, quando a admiração verdadeira começa, quando a empolgação surge, quando o ódio se enrodilha como fumaça, você nunca precisará duvidar que a criatividade o acompanhará por toda a vida. O núcleo de sua criatividade deveria ser o mesmo de sua história e da personagem principal em sua história. O que sua personagem quer, qual é seu sonho, qual é sua forma, e como é expressa?

Essa expressão, ela é o dínamo da vida da personagem, e de sua vida como Pessoa Criadora. No exato momento em que a verdade irrompe, o subconsciente passa de lixeira a anjo que escreve em um livro de ouro.

Então, olhe para você. Considere tudo com que você se alimentou durante anos. Foi um banquete ou uma dieta de fome?

Quem são seus amigos? Eles acreditam em você? Ou atrasam seu crescimento com ridicularização e descrença? Se responder sim à terceira pergunta, você não tem amigos. Vá procurar outros.

E, por fim, você já treinou bem o bastante para poder dizer o que quiser sem se frustrar? Já escreveu o suficiente para relaxar e poder permitir que a verdade saia sem ser arruinada por posturas autoconscientes ou alteradas pelo desejo de enriquecer?

Alimentar-se bem é crescer. Trabalhar bem e constantemente é manter o que você aprendeu e sabe em ótimo estado. Experiência. Trabalho. Esses são os lados idênticos da moeda, que, quando jogada, não é experiência nem trabalho, mas o momento da revelação. A moeda, por ilusão de ótica, torna-se redonda, um globo da vida brilhante, rodopiante. É o instante em que o balanço do alpendre estala baixinho e uma voz fala. Todos prendem a respiração. A voz aumenta e diminui. Meu pai fala de outros anos. Um fantasma ergue-se de seus lábios. O subconsciente se mexe e esfrega os olhos. A Musa arrisca-se nas samambaias abaixo do alpendre, onde os garotos de verão, espalhados no gramado, estão ouvindo. As palavras viram poesia, com as quais ninguém se importa, porque ninguém pensou em chamá-las assim. O amor está ali. A história está ali. Um homem bem alimentado mantém e calmamente apresenta sua porção infinitesimal de eternidade. E é como sempre foi por eras, quando havia um homem com algo a contar, e outros, quietos e sábios, a ouvir.

Nota de encerramento

O PRIMEIRO ASTRO DE cinema de quem me lembro é Lon Chaney.

O primeiro desenho que fiz foi um esqueleto.

A primeira surpresa de que me lembro de ter sentido foi das estrelas em uma noite de verão em Illinois.

As primeiras histórias que li foram de ficção científica na revista *Amazing*.

A primeira vez que saí de casa foi para ir a Nova York e ver o Mundo do Futuro anexo ao Perisphere e encoberto pelo Trylon.*

Minha primeira decisão quanto a uma carreira foi com onze anos de idade: queria ser mágico e viajar pelo mundo com minhas ilusões.

Minha segunda decisão foi aos doze, quando ganhei de Natal uma máquina de escrever para crianças.

E decidi me tornar escritor. E entre a decisão e a realidade estendem-se oito anos de ensino fundamental, ensino médio e de vender jornais em uma esquina em Los Angeles, período no qual escrevi 3 milhões de palavras.

Minha primeira aprovação em publicações veio de Rob Wagner, da revista *Script*, quando eu tinha vinte anos.

Minha segunda venda foi para a *Thrilling Wonder Stories*.

Minha terceira foi para a *Weird Tales*.

Desde então, vendi 250 histórias para quase todas as revistas nos Estados Unidos, além de escrever o roteiro de *Moby Dick* para John Huston.

Escrevi sobre Lon Chaney e o povo esquelético para a *Weird Tales*.

* Monumentos criados para a Feira Mundial de Nova York, em 1939. (N.T.)

Escrevi sobre Illinois e sua natureza selvagem no meu romance *Licor de dente-de-leão*.

Escrevi sobre aquelas estrelas acima de Illinois, para onde uma nova geração está indo.

Criei mundos do futuro no papel, muito parecidos com aquele mundo que vi em Nova York, na Feira Mundial, quando era garoto.

E decidi, bastante tarde na vida, que nunca desistiria de meu primeiro sonho.

Goste ou não, sou uma espécie de mágico, no fim das contas, meio-irmão de Houdini, filho-coelho de Blackstone, nascido à luz do cinema de uma sala antiga, é o que gostaria de pensar (meu nome do meio é Douglas; Fairbanks estava no ápice quando cheguei, em 1920), e amadureci em um momento perfeito — quando o homem dá seu último e maior passo para fora do mar que o criou, a caverna que o abrigava, a terra que o mantinha, e o ar que o invocou para que ele nunca pudesse descansar.

Em suma, sou um filhote malhado de nossa era movida pela massa, entretida em massa, solitária em uma multidão na virada do Ano-Novo.

É um momento ótimo para se viver e, se preciso, morrer nele e por ele. Qualquer mágico de respeito lhe diria a mesma coisa.

1961

BÊBADO E GUIANDO UMA BICICLETA

Em 1953, escrevi um artigo para a revista *The Nation* defendendo meu trabalho como escritor de ficção científica, embora esse rótulo apenas se aplique para, talvez, um terço de minha produção anual.

Algumas semanas depois, no fim de maio, chegou uma carta da Itália. No verso do envelope, em uma caligrafia fina e alongada, li as seguintes palavras:

B. Berenson
I Tatti, Settignano,
Firenze, Italia

Virei-me para a minha esposa e questionei:

— Meu Deus, não pode ser *o* Berenson, o grande historiador de arte, pode?

— Abra — disse minha esposa.

Eu abri e li:

Prezado sr. Bradbury,

Em 89 anos de vida, esta é a primeira carta de fã que escrevo para lhe dizer que acabei de ler seu artigo na *The Nation* — "Day After Tomorrow". É a primeira vez que encontrei uma declaração de um artista de qualquer área que, para trabalhar criativamente, precisa dar substância a seu trabalho e se diverte com ele como se estivesse fazendo uma travessura ou entrando em uma aventura fascinante.
Quão diferente dos trabalhadores da indústria pesada se tornou esse profissional da escrita!
Se algum dia vier a Florença, venha me ver.
Atenciosamente,

B. Berenson

Portanto, aos 33 anos de idade, eu tive minha maneira de ver, escrever e viver aprovada por um homem que se transformou em um segundo pai para mim.

Eu precisava daquela aprovação. Tudo de que precisamos é de alguém mais elevado, mais sábio, mais velho para nos dizer que, no fim das contas, não estamos malucos, que estamos fazendo tudo certo. Tudo bem, caramba, está *ótimo*!

Mas é fácil duvidar de si mesmo, pois olhamos ao redor, para uma série de noções mantidas por outros escritores, outros intelectuais, e essas noções fazem a pessoa corar de culpa. Escrever deveria ser difícil, agoniante, um exercício excruciante, uma ocupação terrível.

Mas, veja, minhas histórias me conduziram pela vida. Elas gritam, eu sigo. Elas correm para cima de mim e me mordem a perna — eu reajo anotando tudo o que acontece durante a mordida. Quando termino, a ideia me solta e foge.

Esse é o tipo de vida que eu tive. Bêbado e guiando uma bicicleta, como descrito em um boletim de ocorrência da polícia irlandesa. Bêbado de vida, é isso, e sem saber para onde partir em seguida. Mas você está no caminho antes do amanhecer. E a viagem? Exatamente metade terror, metade euforia.

Quando eu tinha três anos de idade, minha mãe me levava ao cinema duas ou três vezes por semana. Meu primeiro filme foi *O corcunda de Notre-Dame*, com Lon Chaney. Eu comecei a sofrer uma curvatura permanente na espinha *e* na imaginação naquele dia, muito tempo atrás, em 1923. Naquele momento passei a reconhecer um compatriota maravilhosamente grotesco da escuridão quando via um. Corri para ver todos os filmes de Chaney diversas vezes para ficar deliciosamente apavorado. O Fantasma da Ópera agarrou-se em minha vida com sua capa escarlate. E quando não era o Fantasma, era a mão terrível que gesticulava por trás de uma estante de livros em *O gato e o canário*, apontando para eu ir encontrar mais da escuridão escondida nos livros.

Eu era, então, apaixonado por monstros, esqueletos, circos e parques de diversões, dinossauros e, por fim, pelo Planeta Vermelho, Marte.

A partir desses tijolos primitivos, construí uma vida e uma carreira. Ao me apaixonar por todas essas coisas maravilhosas, todas as coisas boas da minha existência afloraram.

Trocando em miúdos, eu *não* ficava envergonhado em circos. Algumas pessoas ficam. Circos são barulhentos, vulgares, e recendem ao sol. Muitas pessoas aos catorze ou quinze anos são despojadas de seus amores, de seus gostos antigos e intuitivos, um a um, até que, quando chegam à maturidade, não resta a elas nenhuma diversão, nenhum entusiasmo, nenhuma animação, nenhum sabor. Outros criticaram os circos, e criticaram a si mesmos por sua vergonha. Quando o circo chega às cinco da manhã de um dia de verão, e o órgão ressoa, eles não se levantam e correm, viram para o lado em seu sono, e a vida passa.

Eu me levantava e corria. Quando eu tinha nove anos, aprendi que estava certo, e todo mundo estava errado. Buck Rogers havia chegado à cena naquele ano, e foi amor à primeira vista. Eu colecionava tirinhas diárias, e era enlouquecidamente louco por elas. Amigos criticavam. Amigos zombavam. Rasguei as tirinhas de Buck Rogers. Por um mês caminhei pelas aulas do quarto ano atordoado e vazio. Um dia, irrompi em lágrimas, me questionando sobre a devastação que havia acontecido comigo. A resposta era: Buck Rogers. Ele havia partido, e simplesmente não valia a pena viver. O próximo pensamento foi: esses não são meus amigos, aqueles que me fizeram rasgar as tirinhas e, assim, rasgar minha vida ao meio; eles são meus inimigos.

Voltei a colecionar as tirinhas de Buck Rogers. Minha vida tem sido feliz desde então. Pois esse foi o início da escrita de ficção científica. A partir daí, nunca mais dei ouvidos a ninguém que criticasse meu gosto por viagens espaciais, espetáculos populares ou gorilas. Quando isso acontece, pego meus dinossauros e vou embora.

Pois, veja, isso tudo é adubo. Se eu não tivesse enchido meus olhos e minha cabeça, por um tempo, com tudo o que comentei antes, quando chegasse o momento de transformar as associações de palavras em ideias, eu teria gerado uma tonelada de cifras e meia tonelada de zeros.

A savana é um exemplo excelente do que acontece em uma cabeça cheia de imagens, mitos, brinquedos. Trinta anos atrás, eu estava sentado em frente a minha máquina de escrever e datilografei estas palavras: "O salão de jogos". Salão de jogos, onde? No passado? Não. No presente? Difícil. No futuro? Sim! Bem, então, como seria um salão de jogos em algum ano futuro? Comecei a datilografar, fazendo associações de palavras ao redor desse salão. Esse salão de jogos precisava ter televisores alinhados em cada parede e no teto. Ao caminhar em um ambiente assim, uma criança poderia gritar: Rio Nilo! Esfinge! Pirâmides!, e eles apareceriam, cercando-a, coloridos e sonorizados, e por que não? Os gloriosos aromas, maus cheiros e odores mornos, escolha um, para o nariz!

Tudo isso chegou até mim em poucos segundos de escrita dinâmica. Eu conhecia o salão, agora podia pôr personagens nele. Datilografei um personagem chamado George, levei-o a uma cozinha no futuro, onde sua mulher se virou e disse:

— George, queria que você desse uma olhada no Salão de Jogos. Acho que está quebrado...

George e sua mulher atravessam o corredor. Eu os sigo, datilografando loucamente, sem saber o que vai acontecer em seguida. Eles abrem a porta do Salão de Jogos e entram.

África. Sol escaldante. Abutres. Carne morta. Leões.

Duas horas mais tarde, os leões saltaram das paredes do Salão de Jogos e devoraram George e sua mulher, enquanto os filhos, dominados pela TV, estavam sentados, bebericando chá.

Fim da associação de palavras. Fim da história. A coisa toda completa e quase pronta para envio, uma explosão de ideias, em cerca de 120 minutos.

Os leões naquela sala, de onde vieram?

Encontrei os leões nos livros da biblioteca da cidade quando eu tinha dez anos. Vi os leões em circos de verdade quando tinha cinco. O leão que caminhava no filme de Lon Chaney, *Ironia da sorte*, em 1924!

Em 1924!, você vai dizer, duvidando. Sim, 1924. Faz apenas um ano que vi novamente o filme de Chaney. Assim que o filme apareceu na tela, soube que os leões de *A savana* tinham vindo dali. Estavam escondidos, esperando, encobertos por meu eu intuitivo durante todos esses anos.

Pois sou esse esquisito especial, o homem com sua criança interior que se lembra de tudo. Lembro-me do dia e da hora em que nasci. Lembro-me de ser circuncidado no quarto dia depois do meu nascimento. Lembro-me de mamar no peito de minha mãe. Anos mais tarde, perguntei para minha mãe sobre a minha circuncisão. Eu tinha informações que ninguém poderia ter me dado, não havia motivo para contá-las a uma criança, especialmente naqueles tempos ainda vitorianos. Fui circuncidado em algum lugar fora da maternidade? Fui. Meu pai me levou ao consultório médico. Eu me lembro do médico. Eu me lembro do bisturi.

Escrevi a história "O pequeno assassino" 26 anos depois. Conta a história de um bebê que nasceu com todos os sentidos operacionais, cheio de terror por ter sido lançado em um mundo frio, e se vinga de seus pais ao engatinhar secretamente pela noite e, por fim, destruí-los.

Quando tudo isso de fato começou? Digo, a escrita. Tudo começou a funcionar no verão, outono e início do inverno de 1932. Na época, eu estava totalmente entupido de Buck Rogers, dos romances de Edgar Rice Burroughs e da série de rádio noturna *Chandu the Magician*. Chandu falava sobre encantamentos mágicos e psíquicos, o Extremo Oriente e lugares estranhos que me faziam parar toda noite e, de memória, escrever os roteiros de cada programa.

Mas todo o conglomerado de magia e mitos e escadas despencando com brontossauros apenas para surgir com La, rainha e alta sacerdotisa de Opar, foi reunido em um padrão por um homem, o Sr. Electrico.

Ele chegou com um parque de diversões decadente, o The Dill Brothers Combined Shows — cuja entrada custava 35 centavos —, durante o fim de semana do Dia do Trabalho de 1932, quando eu tinha doze anos. Por três noites, o Sr. Electrico se sentava em sua cadeira elétrica para ser eletrocutado por 10 bilhões de volts de pura energia azul sibilante. Estendendo as mãos para o público, seus olhos flamejantes, os cabelos brancos em pé, as faíscas saltando entre os dentes abertos em um sorriso, ele passava uma espada de Excalibur sobre a cabeça das crianças, nomeando-as cavaleiros mirins com fogo. Quando chegou a mim, ele tocou meus ombros e depois a ponta do meu nariz. O raio saltou para dentro de mim. Sr. Electrico gritou: "*Viva para sempre!*".

Concluí que foi a melhor ideia que eu já tinha ouvido. Fui ver o Sr. Electrico no dia seguinte, com a desculpa de que um aparelhinho de truque mágico com moedas que eu havia comprado dele não estava funcionando. Ele consertou e me levou para conhecer as tendas, gritando para cada uma "Cuidado, seus bocas-sujas" antes de entrarmos para conhecer os anões, os acrobatas, as mulheres gordas e os Homens Ilustrados que aguardavam ali.

Fomos até o lago Michigan, onde o Sr. Electrico falou de suas pequenas filosofias, e eu falei das minhas grandiosas. Nunca saberei por que ele me aturou. Mas me ouviu, ou pareceu ter ouvido, talvez porque estivesse longe de casa, talvez porque tivesse um filho em algum lugar do mundo, ou não tivesse nenhum filho e quisesse um. De qualquer forma, ele contou que era um ex-ministro presbiteriano e vivia em Cairo, Illinois, e disse que eu poderia lhe escrever quando quisesse.

Por fim, ele me deu uma notícia bem especial.

— Já nos encontramos antes — disse ele. — Você foi meu melhor amigo na França, em 1918, e morreu nos meus braços na batalha da floresta de Ardenas daquele ano. E aqui está você, renascido, em um novo corpo, com um novo nome. Bem-vindo de volta!

Saí aos tropeços daquele encontro com o Sr. Electrico, maravilhosamente elevado por dois presentes: o fato de ter vivido antes (e ficar sabendo disso)... e o dom de tentar, de alguma forma, viver para sempre.

Poucas semanas depois, comecei a escrever minhas primeiras narrativas curtas sobre o planeta Marte. Daquela época até hoje, nunca parei. Deus abençoe o Sr. Electrico, o catalisador, onde quer que esteja.

Se eu considerar cada aspecto de todo o relato acima, meu início quase inevitavelmente teve de ser no sótão. Dos doze aos 22 ou 23 anos, escrevi histórias até muito depois da meia-noite — histórias não convencionais sobre fantasmas, assombrações e coisas em jarros que vi em parques de diversões fuleiros, sobre amigos perdidos no ondular dos lagos e companheiros da madrugada, aquelas almas que precisavam voar no escuro para não serem atingidas pelo sol.

Foram necessários muitos anos até que eu escrevesse fora do sótão, onde eu tinha que lidar com minha futura mortalidade (uma preocupação de adolescente), chegar até a sala de estar, e depois sair para o gramado sob a luz do sol, onde os dentes-de-leão haviam nascido, e prontos para se transformar em licor.

Ficar no gramado na frente da casa com meus parentes no Quatro de Julho me deu não apenas minhas histórias de Green

Town, Illinois, mas também me levou para Marte, seguindo o conselho de Edgar Rice Burroughs e John Carter, carregando minha bagagem da infância, meus tios, tias, minha mãe, meu pai e meu irmão comigo. Quando cheguei a Marte, eu os encontrei, na verdade, esperando por mim, ou marcianos que pareciam com eles, que queriam me levar para um túmulo. As histórias de Green Town que conseguiram entrar no romance acidental intitulado *Licor de dente-de-leão* e as histórias do Planeta Vermelho que foram parar em outro romance acidental chamado *As crônicas marcianas* foram escritas, alternadamente, durante os mesmos anos em que corria até o barril que armazenava água da chuva na casa de meus avós para mergulhar ali todas as lembranças, os mitos, as associações de palavras de outros anos.

Durante o caminho, também recriei meus parentes como vampiros que habitavam uma cidade semelhante àquela de *Licor de dente-de-leão*, prima de primeiro grau sombria da cidade de Marte, onde a Terceira Expedição terminou. Então, tinha minha vida de três maneiras: como explorador da cidade, viajante espacial e peregrino com os primos norte-americanos do Conde Drácula.

Vejo que não falei quase nada sobre uma variedade de criaturas que você encontrará ao acompanhar esta coletânea, surgindo aqui em pesadelos para soçobrar ali em solidão e desespero: dinossauros. Dos meus dezessete até os 32 anos, escrevi meia dúzia de histórias sobre dinossauros.

Certa noite, quando minha esposa e eu estávamos caminhando pela praia em Venice, Califórnia, onde eu morava em um apartamento de recém-casado, pagando 32 dólares de aluguel por mês, encontramos a ossada do Píer de Venice e as estacas, os trilhos e os cabos da antiga montanha-russa despencados na areia, sendo devorados pelo mar.

— O que esse dinossauro está fazendo aqui, deitado na praia? — perguntei.

Minha esposa, muito sábia, não tinha a resposta.

A resposta veio na noite seguinte, quando, invocado do sono por um chamado, me levantei e ouvi a voz solitária da sirene de nevoeiro da baía de Santa Monica tocando várias e várias vezes.

Claro!, pensei eu. O dinossauro ouviu aquela sirene de nevoeiro no farol tocar, pensou que era outro dinossauro despertado do passado profundo, veio nadando para um confronto amoroso, descobriu que era apenas uma sirene de nevoeiro e morreu na praia, com o coração partido.

Saltei da cama, escrevi a história e a enviei para o jornal *Saturday Evening Post* naquela semana; ela foi publicada logo depois com o título "O monstro do mar". Essa história, que recebeu o título de "A sirene no nevoeiro", virou filme dois anos mais tarde.

A história foi lida por John Huston em 1953, que prontamente me ligou para perguntar se eu gostaria de escrever o roteiro para seu filme *Moby Dick*. Aceitei e avancei de uma fera para a próxima.

Por conta de *Moby Dick*, reexaminei a vida de Melville e Júlio Verne, comparei seus capitães malucos em um ensaio escrito como introdução para uma nova tradução de *Vinte mil léguas submarinas*, que, lida pelo pessoal da Feira Mundial de Nova York, fez com que me considerassem responsável pela conceitualização do andar superior inteiro do Pavilhão dos Estados Unidos.

Por conta do Pavilhão, a Disney me contratou para ajudá-los a planejar os sonhos que desembocaram na Spaceship Earth, parte do Epcot Center, uma feira mundial permanente, que está sendo construído agora, e cuja inauguração será em 1982. Naquela construção, enfiei toda a história da humanidade, indo e voltando no tempo, e, em seguida, mergulhando no futuro selvagem do espaço.

Inclusive com dinossauros.

Todas as minhas atividades, todo o meu crescimento, todos os meus novos trabalhos e novos amores, foram causados e criados por aquele amor primitivo original pelas feras que eu via quando tinha cinco anos e pelas quais eu era apaixonado quando tinha vinte, 29 e trinta anos.

Dê uma olhada em minhas histórias e provavelmente vai encontrar uma ou duas que aconteceram comigo de verdade. Resisti, durante muito tempo, a trabalhos que me fariam ir a algum lugar e "absorver" a cor local, os nativos, o olhar e o sentimento da terra. Aprendi há muito tempo que dessa forma não enxergo diretamente, que meu subconsciente está fazendo a maior parte da "absorção", e levará anos até que alguma impressão que preste venha à tona.

Quando eu era jovem, morei em um prédio em Los Angeles, na região dos latinos. A maioria de minhas histórias latinas foi escrita anos depois que me mudei do prédio, com uma exceção terrível feita no local. No fim de 1945, com a Segunda Guerra Mundial recém-terminada, um amigo meu me pediu para que eu o acompanhasse até a Cidade do México em um Ford V-8 caindo aos pedaços. Lembrei-o do voto de pobreza a que as circunstâncias me forçavam. Ele retrucou me chamando de covarde, perguntando por que eu não me enchia de coragem e enviava três ou quatro histórias que estava escondendo. O motivo por que eu as escondia: as histórias haviam sido rejeitadas uma ou duas vezes por várias revistas. Impulsionado pelo meu amigo, tirei a poeira das histórias e as enviei pelo correio com o pseudônimo William Elliott. Por que o pseudônimo? Porque eu temia que alguns editores de Manhattan pudessem ter visto o nome Bradbury nas capas da *Weird Tales* e tivessem preconceito com aquele escritor de literatura "pulp", considerada uma literatura menor.

Enviei pelo correio três narrativas breves para três revistas diferentes na segunda semana de agosto de 1945. Em 20 de agosto, vendi uma história para a *Charm*, em 21 de agosto para a *Mademoiselle* e, em 22 de agosto, meu aniversário de 25 anos, vendi uma história para a *Collier's*. O valor total dessas vendas foi de mil dólares, que seria como ter um cheque de 10 mil dólares chegando pelo correio hoje em dia.

Eu estava rico. Ou tão perto disso que fiquei embasbacado. Foi uma virada na minha vida, claro, e corri para escrever aos editores daquelas três revistas para revelar meu verdadeiro nome.

Todas as três histórias foram incluídas na lista *The Best American Short Stories of 1946*, de Martha Foley, e uma delas foi publicada no livro *O. Henry Memorial Award Prize Stories*, de Herschel Brickell, no ano seguinte.

Aquele dinheiro me levou ao México, a Guanajuato, e às múmias nas catacumbas. A experiência me machucou e me aterrorizou tanto que eu mal podia esperar para fugir do México. Tive pesadelos sobre morrer e ter de permanecer nos salões dos mortos com aqueles corpos erguidos e amarrados. Para purgar meu terror instantaneamente, escrevi "O próximo da fila". Uma das poucas vezes que uma experiência produziu resultados quase imediatos.

Chega de México. Que tal a Irlanda?

Há todo tipo de história irlandesa na minha obra porque, depois de viver em Dublin por seis meses, vi que a maioria dos irlandeses que conheci tinha uma variedade de maneiras de lidar com aquele monstro terrível chamado Realidade. É possível enfrentá-la diretamente, o que é uma má ideia, ou se pode rodeá-la, cutucá-la, dançar para ela, criar uma canção, escrever sua história, prolongar a tagarelice, encher o tanque. Cada uma dessas maneiras é parte do clichê irlandês, mas cada uma, junto com o clima horrível e a política em frangalhos, é verdadeira.

Acabei conhecendo cada mendigo das ruas de Dublin, aqueles que ficam perto da ponte O'Connell com loucas pianolas que mais arranham que tocam e aqueles que compartilham um único bebê dentro de uma tribo inteira de mendigos encharcados de chuva, de modo que era possível ver a criança uma hora no alto da Grafton Street e no momento seguinte ao lado do Royal Hibernian Hotel, e à meia-noite à beira do rio, mas nunca pensei que escreveria sobre eles. Até que a necessidade de uivar e dar vazão à raiva me fez voltar atrás uma noite e escrever "McGillahee's Brat" [O pirralho de McGillahee] a partir de suspeitas terríveis e da mendicância de um fantasma que andava na chuva que precisavam ser escritas. Visitei alguns dos prédios antigos incendiados, pertencentes a grandes latifundiários irlandeses, e ouvi histórias de um "incêndio" que não havia se extinguido por completo, e assim escrevi "A conflagração pavorosa lá na mansão".

Anthem Sprinters [*Os corredores do hino*], outro encontro irlandês, se escreveu anos mais tarde, quando, em uma noite chuvosa, relembrei as incontáveis vezes que minha esposa e eu corremos para fora dos cinemas em Dublin, avançando para a saída, derrubando crianças e velhos para conseguir sair antes que o Hino Nacional fosse executado.

Mas como comecei? A partir do ano do Sr. Electrico, escrevi mil palavras por dia. Por dez anos, escrevi ao menos um conto por semana, imaginando que, de alguma forma, finalmente chegaria o dia em que eu realmente sairia do caminho e deixaria a escrita acontecer.

O dia chegou em 1942, quando escrevi "O lago". Dez anos fazendo tudo errado, de repente a ideia certa veio, a cena certa, as personagens certas, o dia certo, o momento criativo certo. Escrevi a história sentado do lado de fora da casa, no gramado, com a minha máquina de escrever. Ao fim de uma hora, a história terminou, os pelos da minha nuca estavam arrepiados, e eu às lágrimas. Eu sabia que tinha escrito a primeira história realmente boa da minha vida.

Durante os meus vinte e poucos anos, eu tinha o seguinte cronograma: na segunda-feira de manhã escrevia o primeiro rascunho de uma história nova. Na terça, fazia a segunda versão. Na quarta-feira, a terceira. Na quinta, a quarta. Na sexta-feira, uma quinta. E no sábado à tarde eu enviava a sexta versão e o manuscrito final para Nova York. Domingo? Eu pensava em todas as ideias loucas que tentavam chamar a minha atenção, à espreita embaixo da porta do sótão, confiantes, no fim das contas, de que, por conta de "O lago", eu logo as deixaria sair.

Se tudo isso parece mecânico, não era. Veja, minhas ideias me levavam a agir dessa forma. Quanto mais eu fazia, mais queria fazer. A gente fica voraz. Fica febril. É impossível dormir à noite, porque as ideias de criaturas ferozes querem sair e fazem a gente revirar na cama. É um jeito maravilhoso de viver.

Havia outro motivo para escrever tanto: eu estava recebendo de vinte a quarenta dólares por história das revistas populares. Meu estilo de vida estava longe de ser abastado. Precisava vender ao menos uma história, ou melhor duas, por mês para poder pagar meus cachorros-quentes, meus hambúrgueres e minhas passagens de bonde.

Em 1944, vendi cerca de quarenta histórias, e minha renda total do ano foi de apenas oitocentos dólares.

De repente me ocorreu que há muito para comentar sobre minhas histórias reunidas. É interessante falar de "The Black Ferris" [A roda-gigante sombria], pois, em um outono, 23 anos atrás, o conto passou de narrativa curta para um roteiro e, mais tarde, para um romance, *Algo de sinistro vem por aí*.

"O dia em que choveu para sempre" foi outra associação de palavras que me propus certa tarde, pensando em sóis quentes, desertos e harpas que podiam mudar o clima.

"The Leave-Taking" [A partida] é a história real da minha bisavó, que tinha mais de setenta anos quando eu tinha três anos, e consertava telhados, depois ia para cama dormir dizendo adeus para todo mundo.

"Calling Mexico" [Chamando México] nasceu porque visitei um amigo certa tarde, no verão de 1946, e quando entrei na sala, ele me entregou o telefone e disse: "Ouça". Escutei os sons da Cidade do México vindo de mais de 3 mil quilômetros de distância. Fui para casa e comecei a escrever uma carta sobre minha experiência telefônica a um amigo em Paris. Na metade da carta, ela se transformou em uma história, que foi postada pelo correio naquele dia.

"The Picasso Summer" [O verão de Picasso] foi o resultado de uma caminhada à beira-mar com amigos e minha esposa em um fim de tarde. Peguei um palito de picolé, desenhei figuras na areia e disse:

— Não seria horrível se você quisesse ter um quadro do Picasso e, de repente, cruzasse com ele aqui, desenhando feras mitológicas na areia... seu próprio Picasso "rabiscando" bem diante de você...

Terminei a história sobre Picasso na praia às duas da manhã.

Hemingway. "O papagaio que conheceu o papa." Certa noite, em 1952, estava atravessando Los Angeles com amigos para invadir a gráfica onde a *Life* estava imprimindo sua edição com *O velho e o mar* de Hemingway. Pegamos as cópias saindo da impressora, nos sentamos no bar mais próximo e falamos sobre o "papa" Hemingway, Finca Vigía, Cuba e, de algum jeito, de um papagaio que vivia naquele bar e falava com Hemingway toda noite. Fui para casa, fiz uma anotação sobre o papagaio e a deixei de lado por dezesseis anos. Fuçando em minhas pastas de arquivo em 1968, encontrei apenas a anotação para um título: "O papagaio que conheceu o papa".

Pensei: "Meu Deus". Papa, como Hemingway era conhecido, havia morrido oito anos antes. Se aquele papagaio ainda estiver por aí, ele se lembra de Hemingway, consegue falar com a voz dele e vale milhões. E se alguém sequestrasse o papagaio e pedisse resgate?

"The Haunting of the New" [O assombro do novo] aconteceu porque John Godley, lorde Kilbracken, escreveu para mim da Irlanda, descrevendo sua visita a uma casa que havia sido incendiada e fora substituída, pedra a pedra, tijolo a tijolo, imitando a original. Meio dia após ler o cartão-postal de Kilbracken, eu tinha o primeiro rascunho da história.

Agora, chega. Aí está. Há centenas de histórias de quase quarenta anos da minha vida em minhas coletâneas de histórias. Elas contêm metade das minhas verdades condenatórias das quais suspeitava à meia-noite e metade das verdades salvadoras que eu reencontrava no dia seguinte, ao meio-dia. Se tem algo para se mostrar aqui, é simplesmente o diagrama da vida de alguém que partiu para algum lugar... e foi. Mais do que pensar nos caminhos que percorri, fiz coisas e descobri o que eu era e quem eu era depois de fazê-las. Cada história foi uma maneira de encontrar esses eus. Cada eu enxergava o dia seguinte um pouco diferente daquele eu que existia 24 horas antes.

Tudo começou em um dia de outono, em 1932, quando o Sr. Electrico me concedeu dois presentes. Não sei se acredito em vidas passadas, nem tenho certeza se posso viver para sempre. Mas aquele menino acreditou nas duas coisas, e eu o deixei seguir sua opinião. Ele tem escrito minhas histórias e livros para mim. Usa tabuleiros Ouija e diz Sim ou Não para verdades submersas ou meias verdades. Ele é a pele através da qual, por osmose, todas as coisas passam e vão para o papel. Confiei em suas paixões, em seus medos e alegrias. Como resultado, ele raramente me deixou na mão. Quando um novembro longo e nublado entra na minha alma, e eu penso demais e percebo de menos, sei que passou da hora de voltar àquele menino de tênis, com febres altas, numerosas alegrias e pesadelos terríveis. Não sei ao certo quando ele termina e eu começo. Mas tenho orgulho por esse trabalho em dupla. O que mais posso fazer além de querer seu bem e, ao mesmo tempo, reconhecer e querer bem a outras duas pessoas? No mesmo mês em que me casei com minha esposa, Marguerite, me associei ao meu agente literário e amigo mais íntimo, Don Congdon. Maggie datilografava e criticava minhas histórias, Don criticava e vendia os resultados. Com esses dois como parceiros de equipe nesses últimos 33 anos, como eu poderia ter fracassado? Somos os Corredores de Connemara, Aqueles que Fogem da Rainha*. E ainda estamos correndo para aquela saída.

1980

* Referência a *Anthem Sprinters* [*Os corredores do hino*], história que narra quando Bradbury e sua esposa corriam do Hino Nacional irlandês (N.E.)

INVESTINDO UNS TROCADOS: *FAHRENHEIT 451*

Eu não sabia, mas estava realmente escrevendo um romance que custou uns trocados. Na primavera de 1950 paguei nove dólares e oitenta centavos em moedinhas para escrever e terminar a primeira versão de "O bombeiro", que mais tarde se transformou em *Fahrenheit 451*.

Em todos os anos, de 1941 até aquela época, fiz grande parte do meu trabalho de datilografia nas garagens da família, tanto em Venice, Califórnia (onde morávamos porque éramos pobres, não porque era o lugar "da moda" para se viver), ou atrás da casa de condomínio onde minha esposa, Marguerite, e eu criamos nossa família. Eu era tirado da minha garagem pelas minhas filhas queridas, que insistiam em ir até a janela dos fundos, cantando e batendo nos vidros. O pai precisava escolher entre terminar uma história ou brincar com as meninas. Eu escolhia brincar, claro, o que colocava a renda familiar em risco. Eu precisava encontrar um escritório. Não podíamos pagar por um.

Por fim, encontrei o lugar perfeito, a sala de datilografia no porão da biblioteca da Universidade da Califórnia, em Los Angeles. Lá, em fileiras ajeitadas, ficavam vinte ou mais antigas máquinas de escrever Remington ou Underwood, que eram alugadas por dez centavos a cada meia hora. Era só enfiar a moeda e o relógio começava a tiquetaquear loucamente, e eu datilografava de forma insana até terminar, antes que a meia hora expirasse. Portanto, eu tinha dois estímulos para ser o louco da datilografia: as crianças que haviam ficado em casa e o temporizador da máquina de escrever. Ali, tempo era realmente dinheiro. Terminei o primeiro rascunho em quase nove dias. Com 25 mil palavras, era metade do romance que ele se tornaria.

Entre investir as moedinhas e ficar louco quando a máquina de escrever engripava (pois tempo precioso é desperdiçado!) e tirar e pôr as folhas no equipamento, eu perambulava no andar de cima. Ali eu caminhava tranquilamente, perdido de amor pelos corredores e em meio às pilhas, tocando livros, puxando tomos das estantes, virando páginas, devolvendo as obras ao seu lugar, mergulhando em todas as coisas boas que são a essência das bibliotecas. Que lugar para se escrever um romance sobre queimar livros no futuro, não acha?

Já chega de passado. Que dizer de *Fahrenheit 451* nos dias de hoje? Minha opinião mudou quanto ao que ele me dizia quando eu era um escritor mais jovem? Se por mudança você quer dizer apenas que meu amor pelas bibliotecas se ampliou e se aprofundou, a resposta é um sim que ricocheteia das pilhas de livros e varre o pó de arroz da bochecha da bibliotecária. Desde que escrevi esse livro, criei mais histórias, romances, ensaios e poemas sobre escritores do que qualquer outro escritor de que consigo me lembrar na história. Escrevi poemas sobre Melville, Melville e Emily Dickinson, Emily Dickinson e Charles Dickens, Hawthorne, Poe, Edgar Rice Burroughs, e, entrementes, comparei Júlio Verne e seu Capitão Maluco com Melville e seu marinheiro igualmente obcecado. Rabisquei poemas sobre bibliotecários, peguei trens noturnos com meus autores favoritos em meio à natureza selvagem continental, ficando acordado a noite toda, tagarelando e bebendo, bebendo e tagarelando. Alertei Melville, em um poema, para que ficasse longe da terra firme (nunca foi sua praia!) e transformei Bernard Shaw em um robô para poder armazená-lo convenientemente a bordo de um foguete e acordá-lo na longa jornada para Alpha Centauri, a fim de ouvir seus prefácios saindo de sua boca e para dentro de meus ouvidos deliciados. Escrevi uma história da Máquina do Tempo, na qual voltava velozmente ao passado para me sentar à beira do leito de morte de Wilde, Melville e Poe para contar do meu amor por eles e aquecer seus ossos nas horas derradeiras. Mas, chega. Como é possível ver, eu sou enlouquecidamente louco quando se trata de livros, escritores e dos grandes silos de grãos onde a perspicácia deles está armazenada.

Há pouco tempo, junto com o Studio Theatre Playhouse, de Los Angeles, tirei todas as minhas personagens de *F. 451* das sombras. O que há de novo, perguntei a Montag, Clarisse, Faber, Beatty, desde a última vez que nos encontramos, em 1953?

Eu perguntei. *Eles* responderam.

Eles escreveram novas cenas, revelaram partes estranhas das personagens, bem como almas e sonhos não descobertos. O resultado foi uma peça em dois atos, encenada com bons resultados e, principalmente, ótimas críticas.

Beatty foi quem mais saiu de debaixo de minhas asas ao responder a minha pergunta: Como começou? Por que você tomou a decisão de se tornar o capitão dos Bombeiros, um queimador de livros? A resposta surpreendente de Beatty veio em uma cena na qual ele leva nosso herói, Guy Montag, a seu apartamento. Ao entrar, Montag fica pasmo ao descobrir os milhares e milhares de livros enfileirados nas paredes da biblioteca escondida do capitão dos Bombeiros! Montag se vira e grita ao seu superior:

— Mas você é o capitão dos Bombeiros! Você não pode ter livros na sua casa!

Ao que o capitão, com um sorriso leve e seco, retruca:

— Não é crime *ter* livros, Montag, crime é *lê-los*! Sim, é isso. Eu tenho livros, mas não os *leio*!

Montag, em choque, aguarda a explicação de Beatty.

— Não vê a beleza disso, Montag? Eu nunca os li. Nenhum livro, nem um capítulo, nem sequer uma página, um parágrafo. Eu *brinco* com ironias, não é? Ter milhares de livros e nunca ter aberto um, virar as costas para tudo isso e dizer: não. É como ter uma casa cheia de belas mulheres e, sorrindo, não tocar... em nenhuma. Então, veja, não sou um criminoso. Se você me flagrar *lendo* um, aí, sim, você vai me entregar! Mas este lugar é tão puro quanto o quarto branco de uma garota virgem de doze anos de idade em uma noite de verão. Estes livros morrem nas estantes. Por quê? Porque eu estou falando. Não lhes dou apoio, nem esperança com mão, olhos ou língua. Não são melhores que poeira.

Montag contesta:

— Não entendo como você consegue não ficar...

— Tentado? — grita o capitão dos Bombeiros. — Ah, *isso* já ficou para trás. A maçã já foi roída e jogada fora. A serpente voltou para a árvore. O jardim foi dominado por ervas daninhas e ferrugem.

— No passado... — Montag hesita, em seguida continua: — No passado você deve ter amado muito os livros.

— *Touché!* — confirma o capitão dos Bombeiros. — Abaixo da linha da cintura. No queixo. Através do coração. Rasgando as entranhas. Ah, olhe para mim, Montag. O homem que amava livros, não, o garoto que era louco por eles, maluco por eles, que escalava as pilhas como um chimpanzé enlouquecido por eles.

"Eu os comia como salada, os livros eram meu almoço, meu lanche, meu jantar e o petisco da meia-noite. Arrancava páginas, comia-as com sal, ensopava-as com gosto, mordiscava as lombadas, virava os capítulos com a língua! Livros às dúzias, aos montes e aos bilhões. Carregava tantos para casa que fiquei corcunda por anos. Filosofia, história da arte, política, ciências sociais, poesia, ensaio, as peças grandiosas, o que você pensar eu devorava. E então... e então." A voz do capitão dos Bombeiros desaparece.

Montag provoca:

— E então?

— Ora, a vida aconteceu para mim. — O capitão dos Bombeiros fecha os olhos para recordar. — A vida. O de costume. O mesmo. O amor que não deu muito certo, o sonho que azedou, o sexo que degringolou, a morte que chegou rapidamente a amigos que não mereciam, o assassinato de um ou outro, a insanidade de alguém próximo, a morte lenta da mãe, o suicídio abrupto do pai... um estouro de elefantes, o avanço furioso de uma doença. E em lugar nenhum, lugar nenhum o livro certo para o momento certo, para enfiar na parede da barragem que estava se rompendo e reter a inundação, mais ou menos uma metáfora, menos ou mais um símile. E na virada dos trinta para os 31 anos, eu me recompus, cada osso quebrado, cada centímetro de carne esfolada, escoriada ou cicatrizada. Olhei para o espelho e encontrei um velho perdido por trás de um rosto de jovem assustado, vi um ódio ali por tudo e qualquer coisa, o que quer que fosse eu amaldiçoava, e abria as páginas de meus lindos livros na biblioteca e encontrava o quê, o quê, o quê?!

Montag adivinha:

— As páginas estavam vazias?

— Na mosca! No alvo! Ah, as palavras estavam lá, certo, mas elas passavam pelos olhos como óleo quente, não queriam dizer nada. Não traziam ajuda, consolo, paz, porto seguro, amor verdadeiro, cama quente, luz.

Montag pensa nos anos passados:

— Trinta anos atrás... os últimos incêndios de bibliotecas...

— Exatamente. — Beatty assente com a cabeça. — E sem ter emprego, sendo um romântico frustrado, ou sei lá mais que diabos, me candidatei para a Primeira Turma de Bombeiros. A primeira a subir os degraus, a primeira na biblioteca, a primeira no coração da fornalha ardente desses compatriotas incandescentes, encharque-me com querosene, me entregue a tocha!

"Fim da palestra. É isso, Montag. Sem tirar nem pôr!"

Montag sai, com mais curiosidade do que nunca sobre os livros, a caminho de se tornar um pária, ser perseguido e quase destruído pelo Sabujo Mecânico, meu clone robótico da grande fera de Baskerville, de A. Conan Doyle.

Na minha peça, o velho Faber, o professor residente mas nem tanto, falando com Montag através da longa noite (por meio de um rádio com fone de ouvido em forma de concha), é vitimado pelo capitão dos Bombeiros. Como? Beatty suspeita que Montag está sendo instruído por um dispositivo secreto, arranca-o de sua orelha e grita para o professor distante:

— Vamos pegar você! Estamos na porta! Estamos subindo! Pegamos!

O que aterroriza Faber, fazendo seu coração destruí-lo.

Tudo ótimo. Tentador depois de tanto tempo. Tive que lutar para não incluir isso no romance.

Por fim, muitos leitores escreveram contestando o desaparecimento de Clarisse, imaginando o que teria acontecido com ela. François Truffaut sentiu a mesma curiosidade e, em sua versão cinematográfica do meu romance, resgatou Clarisse do esquecimento e a pôs entre o Povo do Livro que perambulava na floresta, recitando sua litania de livros para eles mesmos. Senti a mesma necessidade de salvá-la, pois, no fim das contas, ela, no ápice de sua falação tonta e fascinada pelos famosos, foi responsável de muitas formas pelo início do questionamento de Montag sobre livros e o que havia neles. Em minha peça, portanto, Clarisse emerge para dar as boas-vindas a Montag e trazer um final um tanto mais feliz para aquilo que, em essência, era uma coisa bem amarga.

No entanto, o romance permanece fiel a seu eu anterior. Não acredito em interferir no material de qualquer jovem escritor, especialmente quando esse jovem escritor fui eu mesmo. Montag, Beatty, Mildred, Faber, Clarisse, todos caminham, se movem, entram e saem como fizeram 32 anos atrás, quando os escrevi pela primeira vez, por dez centavos a cada meia hora, no porão da biblioteca da UCLA. Não mudei nenhum pensamento ou palavra.

Uma última descoberta. Escrevo todos os meus romances e histórias, como você está vendo, em uma grande explosão de paixão prazerosa. Somente há pouco, dando uma olhada no romance, percebi que Montag tem o nome de uma empresa fabricante de papel. E Faber, claro, é uma fabricante de lápis! Meu subconsciente foi muito astuto ao batizá-los assim.

E não ter *me* contado!

1982

APENAS DESTE LADO DE BIZÂNCIO: *LICOR DE DENTE-DE-LEÃO*

LICOR DE DENTE-DE-LEÃO, como a maioria de meus livros e histórias, foi uma surpresa. Comecei a conhecer a natureza dessas surpresas, graças a Deus, quando era um escritor bem jovem. Antes disso, como todo iniciante, eu pensava que era possível fazer uma ideia existir na base de murros, pancadas e sovas. Com esse tratamento, claro, qualquer ideia decente encolhe as patas, vira as costas, fixa os olhos na eternidade e morre.

Então, foi com grande alívio que, aos vinte e poucos anos, deparei com um processo de associação de palavras no qual eu simplesmente saía da cama toda manhã, caminhava até minha escrivaninha e anotava qualquer palavra ou série de palavras que surgia na minha cabeça.

Em seguida, pegava em armas contra a palavra, ou por ela, e criava um sortimento de personagens para sopesar a palavra e me mostrar seu significado na minha vida. Uma hora ou duas depois, para minha surpresa, uma nova história estaria pronta, terminada. A surpresa era completa e agradável. Logo descobri que teria de trabalhar dessa forma pelo resto da vida.

Primeiro, eu fuçava minha mente em busca de palavras que pudessem descrever meus pesadelos pessoais, medos da noite e da infância, e compunha histórias a partir deles.

Depois, dava uma longa olhada nas macieiras com suas maçãs verdes e para a antiga casa onde eu nascera, e para a casa ao lado, onde moravam meus avós, e para todos os gramados dos verões nos quais cresci, e começava a testar palavras para tudo isso.

O que temos em *Licor de dente-de-leão* é uma reunião dos dentes-de-leão de todos esses anos. A metáfora do licor que aparece várias vezes nessas páginas é maravilhosamente apropriada. Eu estava reunindo imagens de toda a minha vida, armazenando-as e esquecendo-as. De alguma forma, eu tive de me enviar ao passado, com as palavras como catalisadores, para expandir as lembranças e ver o que elas tinham a oferecer.

Assim, a partir dos 24 até os 36 anos, mal passava um dia em que eu não perambulava por uma recordação do gramado de meus avós, no norte de Illinois, esperando cruzar com alguma bombinha velha meio estourada, um brinquedo enferrujado ou um fragmento de carta escrita para mim mesmo em algum ano da juventude, para entrar em contato com a pessoa mais velha que eu me tornaria, a fim de lembrá-la do passado, de sua vida, de seu povo, de suas alegrias e tristezas encharcadas.

Esse processo tornou-se um jogo que eu iniciava com imenso entusiasmo: ver quanto eu conseguia me lembrar dos dentes-de-leão ou da colheita de uvas silvestres com meu pai e irmão, da redescoberta do barril de coleta de chuva, foco de proliferação de mosquitos, ao lado da varanda envidraçada, ou da busca pelo cheiro das abelhas peludas douradas que pairavam ao redor da parreira do alpendre nos fundos da casa. Abelhas têm cheiro, sabe, e se não têm, deveriam, pois seus pés estão salpicados com os temperos de 1 milhão de flores.

E então eu quis relembrar como era o barranco, especialmente naquelas noites, quando eu caminhava pela cidade até chegar em casa, tarde da noite, depois de ver o assustadoramente delicioso *O Fantasma da Ópera* de Lon Chaney, e meu irmão Skip corria à minha frente e se escondia embaixo da ponte sobre o riacho do barranco como o Solitário, saltava do esconderijo e me pegava, gritando, e eu corria, caía e corria de novo, gaguejando até em casa. Era muito legal.

No caminho, eu encontrava e colidia, por meio de associação de palavras, com amizades antigas e leais. Peguei emprestado meu amigo de infância no Arizona, John Huff, e o mandei para o leste, para Green Town, para que eu pudesse me despedir dele com decência.

No caminho, me sentei para tomar café da manhã, almoçar e jantar com gente muito querida morta há muito tempo. Pois fui um garoto que amava seus pais, avós e irmão de verdade, mesmo que esse irmão tenha "se livrado" de mim.

No caminho, me vi no porão, trabalhando na prensa de vinho do meu pai, ou no alpendre da frente, na noite da Independência, ajudando meu tio Bion a carregar e disparar seu canhão de latão feito em casa.

Portanto, eu mergulhava na surpresa. Devo acrescentar que ninguém me disse para eu me surpreender. Por ignorância e vivência, encontrei maneiras antigas e novas de escrever e ficava perplexo quando as verdades saltavam dos arbustos como codornas antes do tiro. Tropecei na criatividade de forma tão cega quanto qualquer criança que está aprendendo a andar e enxergar. Aprendi a deixar meus sentidos e meu passado me dizerem tudo o que, de algum modo, era verdade.

Então, eu me transformei em um garoto que corre para pegar uma concha de água limpa da chuva daquele barril ao lado da casa. E, claro, quanto mais água você tira, mas ela flui. O fluxo nunca cessou. Assim que aprendi a ir àqueles tempos e a voltar deles, tive muitas lembranças e impressões sensoriais para brincar, não para trabalhar, mas sim para brincar. *Licor de dente-de-leão* não é nada mais que o garoto escondido no homem que brinca nos campos do Senhor, na grama verde de outros agostos, no início da adolescência, crescendo, e a sensação da escuridão à espreita sob as árvores para semear o sangue.

Eu me diverti e fiquei um tanto surpreso com um crítico que há alguns anos escreveu um artigo analisando *Licor de dente-de-leão* e as obras mais realistas de Sinclair Lewis, imaginando como eu pude ter nascido e sido criado em Waukegan, que rebatizei como Green Town em meu romance, e não percebi como o porto era feio e como eram deprimentes as docas de carvão e os pátios dos trens da cidade.

Mas, claro, eu os notei e, sendo um encantador nato, fiquei fascinado por sua beleza. Trens, vagões, o cheiro de carvão e fogueira não são feios para crianças. A feiura é um conceito que descobrimos por acaso, mais tarde, e com o qual ficamos envergonhados. Contar vagões é uma atividade essencial de garotos. Seus parentes mais velhos espumam, fumegam e zombam do trem que lhes impede a passagem, mas os garotos contam com alegria e gritam o nome dos vagões quando passam, vindos de lugares distantes.

E, de novo, aquele pátio de trens supostamente feio era aonde os parques de diversões e circos chegavam com elefantes que lavavam o pavimento de tijolo com poderosas águas ácidas fumegantes às sombrias cinco horas da manhã.

Quanto ao carvão das docas, eu descia ao meu porão a cada outono para esperar a chegada do caminhão e de sua calha de metal, que descia com estrépito e liberava uma tonelada de belos meteoros, que caíam do espaço distante para dentro do meu porão e ameaçava me enterrar embaixo de tesouros obscuros.

Em outras palavras, se sua criança for poeta, estrume de cavalo pode apenas significar flores para ela; que, claro, é o que estrume de cavalo sempre foi.

Talvez um novo poema meu explique mais do que esta introdução como um livro germinou de todos os verões da minha vida.

Aqui vai o começo do poema:

Bizâncio, eu não venho de lá,
Mas de outro tempo e praça
Cuja raça era simples, testada e aprovada;
Quando criança
Eu despenquei em Illinois.
Um nome sem amor nem graça
Era Waukegan, de lá eu vim
E não, bons amigos, de Bizâncio.

O poema continua descrevendo meu relacionamento de longo prazo com meu local de nascimento:

E, ainda assim, eu vejo ao olhar para trás
Da parte mais alta da árvore mais distante
Uma terra tão azul, amada e brilhante
Quanto qualquer Yeats acharia ser real.

Waukegan, que visitei com frequência desde então, não é nem mais feia nem mais bonita que qualquer outra cidadezinha do Meio-Oeste. Muito dela é verde. As árvores *tocam* o meio das ruas. A rua na frente da minha casa antiga ainda é pavimentada com tijolos vermelhos. Então, em que sentido a cidade era especial? Ora, eu nasci lá. Era minha vida. Eu precisava escrever sobre ela quando eu achasse adequado:

Então, com míticos mortos crescemos
E a colher no pão do Meio-Oeste passamos
E espalhar a geleia brilhante de deuses antigos
Saciando a fome com antepastos sombrios
Embaixo de nosso firmamento, fingindo
Que era a coxa de Afrodite surgindo...
Enquanto no alpendre, calmo e ousado
Suas palavras de pura sabedoria e olhar dourado
Meu avô, um mito de fato,
Que superou Platão no ato
Enquanto vovó, na cadeira de balanço
Cosia a manga rasgada do cuidado manso
Crochetava flocos de neve frios, raros, brilhantes
Para em noites de verão ficarmos invernantes
E tios, reunidos com suas fumaças,
Diziam sabedorias mascaradas de piadas,
E as tias tão sábias quanto servas délficas
Distribuíam limonadas proféticas
A garotos ajoelhados como santos serviçais
Para o alpendre grego nas noites estivais;
Então seguiam à cama, penitentes
Das maldades dos inocentes;

Os pecados-mosquitos zumbindo nos ouvidos
Falavam, pelas noites e por anos decorridos
Nem Waukegan, tampouco Illinois
Mas o céu alegre e os alegres sóis.
Embora medíocre toda a nossa Sorte
E Yeats frente a Mayor brilha mais forte
E ainda nós nos conhecíamos. O anúncio?
Bizâncio.
Bizâncio.

Waukegan/Green Town/Bizâncio.

Então, Green Town *existiu*?

Sim, sim mais uma vez.

Havia um garoto de verdade chamado John Huff?

Havia. E esse era seu verdadeiro nome. Mas ele não se afastou de mim, eu me afastei dele. Mas, um final feliz, ele ainda está vivo, 42 anos depois, e lembra do nosso amor.

Havia um Solitário?

Havia, e esse era *seu* nome. E ele andava pela noite em minha cidade natal quando eu tinha seis anos de idade, apavorava todo mundo e nunca foi capturado.

O mais importante, o casarão em si, com vovô e vovó, os hóspedes e tios e tias nele existiram? Isso eu já respondi.

O barranco é real e as profundezas e a escuridão da noite? Era, é. Levei minhas filhas até lá, poucos anos atrás, temeroso de que o barranco pudesse ter ficado raso com o tempo. Fico aliviado e feliz em relatar que o barranco está mais profundo, mais escuro e mais misterioso do que nunca. Mesmo agora, eu não iria para casa por ali depois de ver *O Fantasma da Ópera*.

Então, é isso. Waukegan era Green Town e era Bizâncio, com toda a felicidade que isso significa, com toda a tristeza que esses nomes implicam. As pessoas lá eram deuses e anões e sabiam-se mortais, e então os anões caminhavam empertigados para não envergonhar os deuses, e os deuses se agachavam para fazer os pequenos se sentirem em casa. E, no fim das contas, não é disso que a vida é feita, da capacidade de dar uma volta e entrar na cabeça de outras pessoas para observar o tolo milagre condenado e dizer: ah, então é assim que você enxerga?! Bem, agora preciso me lembrar disso.

Então, aqui está minha celebração da morte e da vida, da escuridão e da luz, do velho e do novo, do esperto e do estúpido combinados, pura alegria e terror completo escritos por um garoto que no passado pendia de cabeça para baixo nas árvores, vestido em sua fantasia de morcego, com doces em forma de presa na boca, que por fim caiu das árvores quando tinha doze anos, foi embora, encontrou uma antiga máquina de escrever infantil e escreveu seu primeiro "romance".

Uma lembrança final.

Balões de ar quente.

Raramente você os vê nesses dias, embora eu tenha ouvido dizer que, em alguns países, eles ainda os façam e encham com ar quente com uma fogueirinha de palha embaixo deles.

Porém, em 1925, em Illinois, nós ainda os tínhamos, e uma das derradeiras lembranças que tenho de meu avô é da última hora de uma noite de Quatro de Julho, há 48 anos, quando vovô e eu caminhávamos no gramado e acendemos uma fogueirinha e enchemos com ar quente o balão de papel em forma de pera com listras vermelhas, brancas e azuis, e seguramos a presença angelical tremeluzente nas mãos por um momento final diante do alpendre cheio de tios, tias, primos, mães e pais, e depois, muito suavemente, deixamos a coisa que era vida e luz e mistério se desprender de nossos dedos para o ar estival e passar sobre as casas que começavam a dormir, entre as estrelas, tão frágil, tão maravilhoso, tão vulnerável, tão adorável quanto a própria vida.

Vejo meu avô ali, olhando para aquela luz estranha, pairando, meditando em seus pensamentos silenciosos. Eu me vejo com olhos rasos d'água, pois tudo havia acabado, a noite havia terminado, eu sabia que nunca mais haveria uma noite como aquela.

Ninguém falava nada. Todos olhamos para o céu, respiramos fundo e todos pensamos as mesmas coisas, mas ninguém disse uma palavra. Mas alguém tinha que dizer, não é? E esse alguém sou eu.

O vinho ainda espera nas adegas lá embaixo.

Minha família querida ainda está sentada no alpendre no escuro.

O balão de ar ainda paira e queima no céu noturno de um verão ainda não enterrado.

Por que e como?

Porque eu falei que é assim.

1974

O LONGO CAMINHO ATÉ MARTE

Como fui de Waukegan, Illinois, até Marte, o Planeta Vermelho?

Talvez dois homens consigam dizer.

Seus nomes aparecem na página de dedicatória da Edição de Quadragésimo Aniversário de *As crônicas marcianas*.

Pois foi meu amigo Norman Corwin, o primeiro a me ouvir contar minhas histórias marcianas, e meu futuro editor, Walter I. Bradbury (nenhum parentesco), que enxergaram o que eu estava planejando, embora eu não estivesse ciente do que estava fazendo, e me persuadiram a terminar um romance que eu não sabia que tinha escrito.

A forma como viajei naquela noite de primavera em 1949, quando Walter Bradbury fez-me surpreender comigo mesmo, é um caminho sem guia de "E se".

E se nunca tivesse ouvido e me apaixonado pelas novelas de rádio de Norman Corwin quando eu tinha dezenove anos?

E se eu nunca tivesse enviado meu primeiro livro de histórias para Corwin, que acabou virando um amigo da vida toda?

E se eu não tivesse aceitado seu conselho de ir a Nova York em junho de 1949?

Então, muito simples, *As crônicas marcianas* talvez nunca tivessem existido.

Mas Norman insistiu várias e várias vezes que eu deveria ir até as editoras de Manhattan, e que ele e sua mulher, Katie, estariam lá para me guiar e proteger na cidade grande. Por conta de sua persuasão, viajei pelo país, quatro longos dias e noites em um ônibus de viagem, fermentando em uma imensa bola de fungo, com uma mulher grávida que ficou em Los Angeles com quarenta dólares no banco, e uma pousada da ACM (cinco dólares por semana) me esperando na Rua 42.

Os Corwin, fiéis a sua promessa, me levaram para passear e me apresentaram para uma porção de editores, que perguntaram: "Você trouxe um romance?".

Confessei que eu era um velocista de textos curtos e havia trazido apenas cinquenta contos e uma máquina de escrever portátil antiga e surrada. Eles estavam querendo cinquenta contos superimaginativos, a maioria deles brilhante? Não queriam.

O que me leva ao meu "e se" final e mais importante.

E se eu nunca tivesse jantado com o último editor que conheci, Walter I. Bradbury, da Doubleday, que fez a velha e deprimente pergunta: "Você trouxe um romance?", somente para me ouvir descrever a distância que percorria a cada dia, pisando em uma ideia que era uma mina terrestre no café da manhã, recolhendo os pedaços e fundindo-os perto do almoço, para deixá-los esfriar.

Walter Bradbury balançou a cabeça, terminou a sobremesa, refletiu e, em seguida, disse:

— Acho que você já tem um romance.

— O quê? — perguntei. — Desde *quando*?

— E todas aquelas histórias marcianas que você publicou nos últimos quatro anos? — Brad respondeu. — Não há um fio condutor enterrado ali? Você não poderia costurá-las, fazer uma espécie de tapeçaria, um meio-primo de um romance?

— Meu Deus! — exclamei.

— Sim?

— Meu Deus! — repeti. — Em 1944, fiquei tão impressionado com *Winesburg, Ohio*, de Sherwood Anderson, que falei para mim mesmo que precisava tentar escrever algo que chegasse aos seus pés, e que se passasse em Marte. Rascunhei as linhas gerais de personagens e eventos no Planeta Vermelho, mas logo perdi tudo em meus arquivos!

— Parece que encontramos — disse Brad.

— *Encontramos?*

— Exato — disse Brad. — Volte para a ACM e datilografe um plano daquelas duas ou três dúzias de histórias marcianas. Traga-o amanhã. Se eu gostar, lhe dou um contrato e um adiantamento.

Don Congdon, meu melhor amigo e agente literário, sentado do outro lado da mesa, assentiu com a cabeça.

— Estarei no seu escritório por volta do meio-dia! — falei para Brad.

Para comemorar, pedi mais uma sobremesa. Brad e Don tomaram cerveja.

Era uma noite típica e quente de julho em Nova York. Ar-condicionado ainda era um luxo de anos futuros. Datilografei até as três da manhã, transpirando em mangas de camisa, enquanto analisava e equilibrava meus marcianos em suas cidades estranhas nas últimas horas antes das chegadas e partidas de meus astronautas.

Ao meio-dia, exausto mas eufórico, entreguei o plano para Walter I. Bradbury.

— Você conseguiu! — disse ele. — Você vai ter seu contrato e um cheque amanhã.

Devo ter feito muito barulho. Quando me acalmei, perguntei a ele sobre minhas outras histórias.

— Agora que vamos publicar seu primeiro "romance" — comentou Brad —, podemos arriscar com suas histórias, embora essas antologias raramente vendam. Pode pensar em um título que envolveria duas dúzias de histórias diferentes como uma pele...?

— Pele? — perguntei. — Por que não *O homem ilustrado*, minha história sobre um pregoeiro de parque de diversões cujas tatuagens ganham vida com o suor, uma a uma, e representam seu futuro no peito, nas pernas e nos braços?

— Parece que vou ter que emitir *dois* cheques de adiantamento — disse Walter I. Bradbury.

Saí de Nova York três dias depois com dois contratos e dois cheques que totalizavam mil e quinhentos dólares. Dinheiro suficiente para pagar nosso aluguel mensal de trinta dólares por um ano, pagar as despesas de nossa bebê, e ajudar no pagamento da entrada de uma pequena casa de condomínio no interior de Venice, Califórnia. Na época em que nossa filha nasceu, no outono de 1949, eu havia reunido e combinado todos os meus objetos marcianos que estavam perdidos. Ele acabou não se tornando um livro de personagens excêntricos como em *Winesburg, Ohio*, e sim uma série de ideias, noções, fantasias e sonhos estranhos sobre os quais eu pensava e para os quais eu havia despertado aos doze anos de idade.

As crônicas marcianas foram publicadas no ano seguinte, em meados de 1950.

Ao viajar para o leste naquela primavera, eu não sabia o que havia feito.

Entre as viagens de trens em Chicago, caminhei até o Instituto de Arte para almoçar com um amigo. Vi uma multidão no alto das escadarias do Instituto e pensei que eram turistas. Mas quando me aproximei, a multidão desceu e me cercou. Não eram amantes da arte, mas leitores que tinham adquirido as primeiras edições de *As crônicas marcianas* e tinham vindo me contar exatamente o que eu havia feito de forma totalmente inconsciente. O encontro daquela tarde mudou minha vida para sempre. Nada foi igual depois disso.

A lista de "e se" podia se estender ao infinito. E se eu não tivesse conhecido Maggie, que fez um voto de pobreza para se casar comigo? E se Don Congdon nunca tivesse me escrito para se tornar e continuar sendo meu agente por 43 anos, começando na mesma semana em que me casei com Marguerite?

E se, logo depois da publicação de *As crônicas*, eu não estivesse em uma pequena livraria de Santa Monica quando Christopher Isherwood passou.

Rapidamente, autografei e entreguei para ele um exemplar do meu romance.

Com uma expressão de lástima e alarme, Isherwood aceitou o exemplar e fugiu.

Três dias depois, ele me telefonou.

— Você sabe o que fez? — questionou ele.

— O quê? — devolvi a pergunta.

— Você escreveu um livro ótimo — respondeu ele. — Acabei de me tornar o resenhista-chefe de livros da revista *Tomorrow*, e o seu será o primeiro livro que vou resenhar.

Alguns meses mais tarde, Isherwood telefonou para dizer que o celebrado filósofo inglês Gerald Heard queria me fazer uma visita.

— Ele não pode! — gritei.

— Por que não?

— Porque não temos mobília em nossa casa nova!

— Gerald Heard vai se sentar no seu chão — retrucou Isherwood.

Heard chegou e se encarapitou em nossa única cadeira.

Isherwood, Maggie e eu nos sentamos no chão.

Algumas semanas depois, Heard e Aldous Huxley me convidaram para tomar chá, durante o qual os dois se inclinavam para a frente, um imitando o outro, e perguntavam:

— Você sabe o que você é?

— O quê?

— Um *poeta* — disseram.

— Meu Deus! — exclamei. — Sou?

Então, terminamos como começamos, com um amigo se despedindo e outro me recebendo ao chegar de uma jornada. E se Norman Corwin não tivesse me enviado ou se Walter I. Bradbury não tivesse me recebido? Marte talvez nunca tivesse ganhado uma atmosfera, e seu povo nunca teria nascido com máscaras douradas, e suas cidades, não construídas, teriam ficado perdidas nas colinas intocadas. Muito obrigado por aquela jornada a Manhattan, que se transformou em uma viagem de ida e volta de quarenta anos a outro mundo.

6 de julho de 1990

SOBRE OS OMBROS DE GIGANTES

O ocaso no museu dos robôs: o renascimento da imaginação

Há dez anos venho escrevendo um poema narrativo longo sobre um garotinho no futuro próximo que encontra um museu áudio--animatrônico, desvia-se drasticamente do pórtico correto marcado *Roma*, passa por uma porta assinalada *Alexandria*, e entra por uma soleira onde um sinal com a palavra *Grécia* aponta para uma campina.

O garoto corre pela grama artificial e depara com Platão, Sócrates e, talvez, Eurípedes, sentados ao meio-dia embaixo de uma oliveira, bebericando vinho, comendo pão com mel e falando verdades.

O garoto hesita e, em seguida, fala com Platão:

— Como vai a República?

— Sente-se, garoto — diz Platão —, e vou lhe contar.

O garoto senta-se. Platão conta. Sócrates intervém de tempos em tempos. Eurípedes apresenta uma cena de suas peças.

Nesse ínterim, o garoto talvez faça uma pergunta que paira em todas as mentes nas últimas décadas:

— Como os Estados Unidos, *o* país de Ideias em Marcha, por tanto tempo negligenciaram a fantasia e a ficção científica? Por que tem sido dada atenção a elas apenas nos últimos trinta anos?

Outras perguntas do garoto poderiam muito bem ser:

— Quem é responsável pela mudança?

— Quem ensinou os professores e os bibliotecários a puxarem as meias, a sentarem-se direito e a prestarem atenção?

— Ao mesmo tempo, que grupo em nosso país se afastou da abstração e moveu a arte de volta para a direção da ilustração pura?

Como não estou nem morto nem sou um robô, e o Platão áudio-animatrônico talvez não esteja programado para responder, vou tentar responder o melhor que eu puder.

A resposta é: os alunos. Os jovens. As crianças.

Eles conduziram a revolução na leitura e na pintura.

Pela primeira vez na história da arte e do ensino, as crianças se tornaram professores. Antes, no nosso tempo, o conhecimento vinha do topo da pirâmide para a larga base, onde os alunos sobreviviam o melhor que podiam. Os deuses falavam, e as crianças ouviam.

Mas, veja! A gravidade reverte-se. A pirâmide gigantesca vira-se como um iceberg derretendo, até os garotos e as garotas chegarem ao topo. A base da pirâmide agora ensina.

Como isso aconteceu? Afinal, lá nos anos 1920 e 1930 não havia livros de ficção científica nos currículos escolares. Havia poucos nas bibliotecas. Apenas uma ou duas vezes ao ano um editor responsável ousava publicar um ou dois livros que podiam ser chamados de ficção especulativa.

Se fôssemos a uma biblioteca comum, cruzando os Estados Unidos nos anos 1932, 1945 ou 1953, teríamos encontrado:

Nada de Edgar Rice Burroughs.

Nada de L. Frank Baum e nada de Oz.

Em 1958 ou 1962, não encontraríamos nenhum Asimov, nenhum Heinlein, nenhum Van Vogt e, bem, nenhum Bradbury.

Aqui e ali talvez um livro ou dois dos autores acima. No restante: um deserto.

E por que isso acontecia?

Entre os bibliotecários e professores da época, havia, e de alguma forma ainda persiste de modo obscuro, uma ideia, uma noção, um conceito de que apenas o fato deveria ser ingerido no café da manhã. Fantasia? Isso é para aves raras. Fantasia, mesmo quando toma formas de ficção científica, o que faz com frequência, é perigosa. É escapista. É sonhar acordado. Não tem nada a ver com o mundo e os problemas do mundo.

Assim dizem os esnobes que não se veem como esnobes.

Assim as estantes ficam vazias, os livros intocados nos escaninhos dos editores, o assunto não ensinado.

Vem a Evolução. A sobrevivência daquela espécie chamada criança. As crianças, famintas, ávidas por ideias que jazem todas nessa terra fabulosa, presas em máquinas e arquitetura, começaram a trabalhar por conta própria. O que elas fizeram?

Entraram nas salas de aula em Waukesha, Peoria, Neepawa e Cheyenne e Moose Jaw e Redwood City e puseram uma bomba sutil na mesa da professora. Em vez de uma maçã, era Asimov.

— O que é isso? — perguntou a professora, desconfiada.

— Experimente. Vai ser bom para a senhora — disseram os alunos.

— Não, obrigada.

— Experimente — disseram os alunos. — Leia a primeira página. Se não gostar, pare.

E os alunos espertos se viraram e se afastaram.

Os professores (e os bibliotecários mais tarde) postergaram a leitura, mantiveram o livro na casa por algumas semanas e depois, tarde da noite, experimentaram o primeiro parágrafo.

E a bomba explodiu.

Eles não leram apenas o primeiro, mas o segundo parágrafo, a segunda e a terceira páginas, o quarto e o quinto capítulos.

— Meu Deus! — gritaram, quase em uníssono. — Esses malditos livros *narram* alguma coisa!

— Jesus Cristo! — eles gritaram, lendo um segundo livro. — Tem ideias aqui!

— Minha Nossa! — murmuraram eles, em seu caminho através de Clarke, rumando para Heinlein, emergindo de Sturgeon —, esses livros são relevantes pra (palavra feia)!

— Sim! — gritou o coro de crianças famintas no pátio. — Ah, minha nossa, sim!

E os professores começaram a ensinar e descobriram uma coisa incrível: os alunos que nunca quiseram ler antes de repente ficaram estimulados, fizeram um esforço e começaram a ler e a citar Ursula Le Guin. As crianças que nunca tinham lido mais que um obituário de pirata na vida, de repente estavam virando páginas com a língua, ansiando por mais.

Os bibliotecários ficaram perplexos ao descobrirem que os livros de ficção não estavam apenas sendo emprestados às dezenas de milhares, mas sendo roubados e nunca mais devolvidos!

— Onde estávamos? — perguntavam-se os bibliotecários e professores quando o príncipe os despertou com um beijo. — O que *tem* nesses livros que os deixam tão irresistíveis quanto pipoca doce?

A história das ideias.

As crianças não teriam dito isso em tantas palavras. Apenas sentiam, liam e amavam. Sentiam, pois não podiam falar, que os primeiros escritores de ficção científica eram homens da caverna que estavam tentando descobrir as primeiras ciências — e quais eram elas? Como capturar o fogo. O que fazer com aquele mamute desajeitado que está na frente da caverna. Como bancar o dentista para o tigre dentes-de-sabre e transformá-lo em um gatinho doméstico.

Ponderando sobre esses problemas e possíveis ciências, os primeiros homens e mulheres das cavernas desenharam sonhos de ficção científica nas paredes das cavernas. Rabiscos em fuligem, preparando possíveis estratégias. Ilustrações de mamutes, tigres, fogueiras: como resolver? Como transformar a ficção científica (problema a resolver) em fato científico (problema resolvido).

Alguns poucos corajosos saíram da caverna e foram pisoteados pelo mamute, mastigados pelo tigre, torrados pelo fogo bestial que vivia nas árvores e devorava a madeira. Alguns poucos por fim retornaram para desenhar nas paredes o triunfo do mamute derrubado como uma catedral peluda na terra, o tigre sem dentes e o fogo domado e levado para dentro da caverna para iluminar os pesadelos e aquecer as almas.

As crianças sentiram, ainda que não pudessem falar, que a história inteira da humanidade significa resolver problemas, ou que a ficção científica engole ideias, as digere e excreta fórmulas para a sobrevivência. Não dá para ter uma sem a outra. Sem fantasia, sem realidade. Nenhum estudo relacionado à perda, nenhum ganho. Sem imaginação, sem desejo. Sem sonhos impossíveis, sem soluções possíveis.

As crianças sentiram, ainda que não pudessem dizer, que a fantasia, e sua filha robótica, a ficção científica, não é escapismo. Mas um círculo ao redor da realidade para encantá-la e fazer com que ela se comporte. O que é um avião, no fim das contas, senão um círculo em torno da realidade, uma aproximação da gravidade, que diz: olha, com minha máquina mágica, eu desafio você. A gravidade desapareceu. A distância ficou de lado. O tempo parou, ou se inverteu, pois eu finalmente venci a corrida do sol ao redor do mundo, por Deus! Olhe! Avião, jato, foguete — oitenta minutos!

As crianças imaginaram, ainda que não sussurrassem, que toda a ficção científica é uma tentativa de resolver problemas ao fingir que desvia o olhar.

Em outro lugar, descrevi esse processo literário como Perseu confrontado pela Medusa. Olhando para a imagem da Medusa em seu escudo de bronze, ao fingir que desviava o olhar, Perseu estende a mão sobre o ombro e decepa a cabeça da Medusa. Então, a ficção científica simula o futuro para curar os cães doentes que estão caídos na estrada do hoje. A indeterminação é tudo. A metáfora é o remédio.

As crianças amam os catafractários, embora não os chamem dessa forma. Um catafractário é apenas um persa especial em um cavalo especial de raça, cuja combinação remonta às legiões romanas de algum tempo atrás. Resolver problema. Problema: exércitos romanos gigantescos a pé. Sonhos de ficção científica: catafractário/homem montado. Os romanos espalharam-se. Problema resolvido. A ficção científica torna-se fato científico.

Problema: botulismo. Sonhos de ficção científica: algum dia produzir um recipiente que preservasse a comida, impedindo a morte. Sonhadores da ficção científica: Napoleão e seus técnicos. Sonho que se torna fato: a invenção da lata de estanho. Resultado: milhões de pessoas vivas hoje que, do contrário, teriam se contorcido e morrido.

Então, parece que todos somos filhos da ficção científica, sonhando com novas maneiras de sobreviver. Somos os relicários de todos os tempos. Em vez de colocar ossos de santos em jarros de cristal e ouro para serem tocados pelos fiéis nos séculos seguintes, colocamos vozes e rostos, sonhos e sonhos impossíveis em fitas, em gravações, em livros, na TV, nos filmes. O homem é um solucionador de problemas apenas porque é um Guardião de Ideias. Somente ao encontrar maneiras tecnológicas de economizar tempo, vigiar o tempo, aprender com ele e transformá-lo em soluções, sobrevivemos através das eras para nos tornarmos melhores. Estamos contaminados? Podemos nos descontaminar. Estamos doentes? Os hospitais do mundo são os melhores lugares desde que a TV chegou para visitar, segurar as mãos, levar metade da maldição da doença e do isolamento.

Queremos estrelas? Podemos tê-las. Podemos pegar taças de fogo do sol? Podemos e precisamos para iluminar o mundo.

Para todo lugar que olhamos: problemas. Para todo lugar onde olhamos profundamente: soluções. Os filhos dos homens, os filhos do tempo, como *não* ficam fascinados com esses desafios? Portanto: a ficção científica e sua história recente.

No topo disso tudo, conforme mencionado antes, os jovens lançaram bombas na galeria de arte mais próxima, no seu museu de arte central.

Eles atravessaram os corredores e dormitaram na cena moderna conforme representada por sessenta e poucos anos de abstração que se superabstrai até desaparecer em seu próprio traseiro. Telas vazias. Mentes vazias. Sem conceitos. Às vezes, sem cor. Sem ideias que interessariam uma pulga amestrada em um circo de cães.

— Chega! — gritaram as crianças. — Deixem que a fantasia exista. Deixem que a luz da ficção científica exista.

Deixem que a ilustração renasça.

Deixem que os pré-rafaelistas clonem a si mesmos e proliferem!

E assim foi.

E porque os filhos da Era Espacial e os filhos e as filhas de Tolkien quiseram que seus sonhos ficcionais fossem desenhados e pintados em termos ilustrativos, a arte antiga da contação de história, conforme representada por seu homem da caverna ou por seu Fra Angelico ou seu Dante Gabriel Rossetti, foi reinventada como a segunda pirâmide gigante virada de cabeça para baixo, e a educação correu da base para o ápice, e a velha ordem foi invertida.

Portanto, sua revolução dupla na leitura, no ensino da literatura e da arte pictórica.

Portanto, por osmose, a Revolução Industrial e as Eras Eletrônica e Espacial finalmente escorreram em sangue, osso, tutano, coração, carne e mente do jovem que, como professores, nos ensina o que deveríamos saber desde o início.

Essa verdade de novo: a história das ideias, que é tudo o que a ficção científica sempre foi. Ideias parindo a si mesmas em fato, morrendo, apenas para reinventar novos sonhos e ideias e renascer em aspectos e formas mais fascinantes, alguns deles permanentes, todos eles uma sobrevivência promissora.

Espero que não fiquemos sérios demais aqui, pois a seriedade é a morte vermelha se deixarmos que ela se mova com liberdade demais entre nós. Sua liberdade é nossa prisão, nossa derrota e morte. Uma boa ideia deveria nos preocupar como um cão nos preocupa. Não deveríamos, por nossa vez, nos preocuparmos até o túmulo, afogá-la com intelecto, pontificar até adormecê-la, assassiná-la com a morte de mil fatias analíticas.

Continuemos como crianças, e não infantis, em nossa visão perfeita, tomando emprestados esses telescópios, foguetes ou tapetes mágicos que possam ser necessários para nos levar mais rápido até os milagres da física, bem como ao sonho.

A revolução dupla continua. E mais revoluções invisíveis estão por vir. Sempre haverá problemas. Graças a Deus. E soluções. Graças a Deus. E manhãs do amanhã nas quais buscá-las. Louvemos Alá e enchamos as bibliotecas e as galerias de arte de marcianos, elfos, duendes, astronautas, e bibliotecários e professores em Alpha Centauri, que estejam ocupados dizendo para as crianças não lerem ficção científica ou fantasia: "Vai transformar seu cérebro em mingau!".

E então, dos corredores do meu Museu dos Robôs, no longo ocaso, deixemos que Platão tenha a última palavra de sua República eletromecânica computadorizada.

— Vão, crianças. Corram e leiam. Leiam e corram. Mostrem e digam. Virem outra pirâmide. Virem outro mundo de cabeça para baixo. Tirem a fuligem do meu cérebro. Repintem a Capela Sistina dentro do meu crânio. Riam e pensem. Sonhem, aprendam e construam.

— Corram, meninos! Corram, meninas! Corram!

E com esse bom conselho, as crianças correrão.

E a República será salva.

1980

A MENTE SECRETA

NUNCA QUIS IR À Irlanda na minha vida. Ainda assim, lá estava John Huston ao telefone me convidando a ir ao seu hotel tomar um drinque. No final daquela tarde, com bebidas nas mãos, Huston me encarou cuidadosamente e disse: "O que você acha de morar na Irlanda e escrever o roteiro de *Moby Dick*?".

E, de repente, estávamos partindo atrás da Baleia Branca; eu, minha esposa e duas filhas.

Foram sete meses para rastrear, pegar e jogar fora as barbatanas da Baleia.

De outubro a abril, morei no país onde eu não queria estar.

Eu achava que não tinha visto nada, ouvido nada, sentido nada da Irlanda. A Igreja era deplorável. O clima era horrível. A pobreza era inadmissível. Não absorveria nada disso. Além disso, havia o Peixão...

Eu não contava que meu subconsciente me pregaria uma peça. No meio de toda a umidade péssima, enquanto tentava levar o Leviatã até a praia com minha máquina de escrever, minhas antenas estavam observando as pessoas. Não que meu eu desperto, consciente e em movimento não as percebesse, gostasse, admirasse, considerasse algumas delas amigas e as visse com frequência, não. Mas, no geral, predominantes eram a pobreza, a chuva e a sensação de pesar por mim mesmo em uma terra pesarosa.

Com o Bicho registrado em tintas e entregue às câmeras, fugi da Irlanda, certo de que não havia aprendido nada que não fosse temer as tempestades, os nevoeiros e as ruas cheias de mendigos de Dublin e Kilcock.

Mas o olho subliminar é astuto. Enquanto eu lamentava meu trabalho árduo e minha incapacidade, dia sim, dia não, de me sentir tanto como Herman Melville quanto eu desejava, meu eu interior se mantinha alerta, farejava fundo, ouvia muito, observava de perto e arquivava a Irlanda e seu povo para outros momentos quando eu pudesse relaxar e deixá-los transbordar para minha própria surpresa.

Voltei para casa via Sicília, Itália, onde tomei sol para me livrar do inverno irlandês, garantindo, de uma vez por todas, que: "Não escreverei nada sobre os Corredores de Connemara e as Gazelas de Donnybrook".

Deveria ter me lembrado da minha experiência com o México, muitos anos antes, onde encontrei não a chuva e a pobreza, mas o sol e a pobreza, e fui embora em pânico pelo clima de mortalidade e pelo terrível cheiro adocicado quando os mexicanos exalavam a morte. Por fim, escrevi alguns pesadelos ótimos a partir daí.

Mesmo assim, eu insisti que Eire, a Irlanda, estava morta, a vigília havia terminado, seu povo nunca me assombraria.

Vários anos se passaram.

Então, numa tarde chuvosa, Mike (cujo nome real é Nick), o motorista de táxi, sentou-se fora da visão em minha mente. Ele me cutucou com suavidade e ousou me lembrar de nossas jornadas conjuntas pelos pântanos, ao longo do rio Liffey, e dele falando e dirigindo o carro antigo lentamente pela névoa, noite após noite, levando-me ao Royal Hibernian Hotel, o único homem que conheci melhor em todo o país verde e selvagem, das dezenas de Jornadas Sombrias.

— Diga a verdade sobre mim — disse Mike. — Escreva aí do jeito que foi.

E, de repente, eu tinha um conto e uma peça. E a história é verdadeira e a peça é verdadeira. Aconteceu daquele jeito. Não podia ter acontecido de outra forma.

Bem, a história nós entendemos, mas, ora, por que depois de todos esses anos, fui para os palcos? Não fui, mas voltei para eles.

Fui ator amador e de rádio quando garoto. Escrevi peças quando jovem. Essas peças, não produzidas, eram tão ruins que prometi a mim mesmo nunca escrever de novo para os palcos até tarde na vida, depois de primeiro aprender a escrever melhor todos os outros estilos. Ao mesmo tempo, desisti de atuar porque temia a política de concorrência que os atores precisam fazer para trabalhar. Além disso: os contos, os romances me chamaram. E atendi ao chamado. Mergulhei na escrita. Anos se passaram. Assisti a centenas de peças. Eu as amava. Mas ainda resistia a escrever Ato I, Cena I de novo. Então, veio *Moby Dick*, um momento para refletir sobre ela, e, de repente, ali estava Mike, meu motorista de táxi, revirando minha alma, fazendo emergir pedacinhos da aventura de alguns anos antes, perto da Colina de Tara ou no interior, no outono, na troca de folhagem das árvores em Killeshandra. Meu antigo amor pelo teatro, com um empurrão final, me pressionou.

Mas, também se acotovelando e apertando entre presentes gratuitos e inesperados, chegou uma multidão de cartas escritas por estranhos. Uns oito ou nove anos atrás, comecei a receber os seguintes textos:

Senhor: Na noite passada, na cama, falei sobre sua história "A sirene no nevoeiro" para minha esposa.

Ou: Senhor, tenho quinze anos e venci o Prêmio Anual de Recitação no Gurnee Illinois High, tendo memorizado e declamado seu conto "O som de trovão".

Ou: Prezado sr. B.: Temos o prazer de relatar que a leitura dramática de seu romance *Fahrenheit 451* foi recebida calorosamente por dois mil professores de inglês em nossa conferência na noite passada.

Em um período de sete anos, dezenas das minhas histórias foram lidas, declamadas, recitadas e dramatizadas em escolas e faculdades em todo o país. As cartas empilhavam-se. Por fim, elas tombaram e caíram sobre mim. Virei para a minha esposa e disse: "Todo mundo está se divertindo me adaptando, menos eu! Como pode?!".

Na época, era o inverso da antiga história. Em vez de gritar que o imperador está nu, essas pessoas estavam dizendo, sem dúvida, que um reprovado em língua inglesa da Los Angeles High School estava totalmente vestido e era estúpido demais para vê-lo!

Aí, comecei a escrever peças.

Uma última coisa me empurrou de volta ao palco. Nos últimos cinco anos, peguei emprestado ou comprei uma boa quantidade de livros com ideias de peças europeias e americanas para ler; assisti ao teatro do absurdo e do mais que absurdo. No geral, acabei julgando as peças como exercícios frágeis, com muita frequência tontas, mas, acima de tudo, faltavam nelas os requisitos principais de imaginação e habilidade.

Considerando essa opinião superficial, é justo pôr minha cabeça na guilhotina. Se quiser, pode me executar agora.

Não é incomum. A história da literatura é cheia de escritores que, correta ou erroneamente, sentiam que podiam consertar, melhorar ou revolucionar certa área. Então, muitos de nós mergulhamos onde nem anjos deixam rastros.

Tendo ousado antes, exuberante, ousei de novo. Quando Mike saltou da minha máquina, outros intrusos o acompanharam.

E quanto mais eles fervilhavam, mais se acotovelavam para preencher espaços.

De repente, vi que eu conhecia mais das misturas e comoções dos irlandeses do que conseguiria desembaraçar em um mês ou ano de escrita e deslindá-las. Inadvertidamente, me vi abençoando a mente secreta e examinando uma vasta agência de correio interior, chamando pelo nome noites, cidades, climas, animais, bicicletas, igrejas, cinemas, procissões e fugas.

Mike me pôs em uma caminhada lenta; irrompi em um trote, que logo se tornou uma corrida de verdade.

As histórias, as peças, nasceram em uma ninhada chorona. Eu precisava sair do caminho.

Agora, já pronto e ocupado com outras peças sobre os maquinários da ficção científica, tenho uma teoria *a posteriori* sobre dramaturgia?

Tenho.

Pois somente depois é possível definir, examinar, explicar.

Tentar saber de antemão significa congelar e matar.

A autoconsciência é inimiga de toda arte, seja atuar, escrever, pintar ou viver em si, que é a maior de todas as artes.

Segue aqui minha teoria. Nós, escritores, estamos aptos a fazer o seguinte:

Construímos tensões para o riso, então concedemos a permissão, e o riso vem.

Construímos tensões para a tristeza, e por fim dizemos chorem e esperamos ver nosso público em lágrimas.

Construímos tensões para a violência, acendemos o pavio e corremos.

Construímos tensões de amor, nas quais muitas das outras tensões se misturam para serem modificadas e transcenderem, e permitimos essa fruição na mente do público.

Construímos tensões, especialmente hoje em dia, na direção da náusea e, em seguida, se tivermos jeito e talento, se soubermos observar, permitimos que nosso público fique nauseado.

Cada tensão busca seu próprio fim, liberação e relaxamento.

Ou seja, nenhuma tensão, no âmbito estético e prático, deve ser construída e permanecer retida. Sem isso, toda arte termina incompleta, morre na praia. E, na realidade, como sabemos, não relaxar de uma tensão específica pode levar à loucura.

Existem exceções aparentes, nas quais romances e peças terminam no ápice da tensão, mas a liberação está implícita. O público é instado a sair para o mundo e explodir uma ideia. A ação final é repassada do criador ao leitor/espectador, cujo trabalho é alcançar o riso, as lágrimas, a violência, a sexualidade ou a náusea.

Não saber disso significa desconhecer a essência da criatividade, que, no fundo, é a essência do ser humano.

Se eu fosse aconselhar escritores iniciantes, se eu fosse aconselhar o escritor iniciante que vive dentro de mim, que foram ao teatro do absurdo, o quase absurdo, o teatro de ideias, qualquer tipo de teatro, eu aconselharia o seguinte:

Não me conte piadas sem sentido.

Vou rir de sua recusa de me permitir o riso.

Não me construa tensões para as lágrimas e recuse que eu me lamente.

Vou buscar muros das lamentações melhores.

Não faça meus punhos se cerrarem e esconda o alvo.

Talvez eu acabe batendo em você.

Acima de tudo, não me traga náusea, a menos que me mostre o caminho até a amurada do navio.

Pois, por favor, entenda, se você me envenenar, eu vou ter que adoecer. Vejo que muitas pessoas que escrevem filmes nauseantes, romances nauseantes, peças nauseantes esqueceram que o veneno pode destruir mentes da mesma forma que pode destruir o corpo. Muitos frascos de venenos têm rótulos que os identificam como eméticos. Por negligência, ignorância ou incapacidade, os novos Bórgias intelectuais enfiam bolas de pelo em nossa garganta e não permitem a convulsão que poderia nos fazer bem. Esqueceram, se é que algum dia aprenderam como é, o conhecimento ancestral de que apenas se ficarmos realmente doentes podemos recuperar a saúde. Até os bichos sabem quando é bom e adequado vomitar. Então, me ensinem a ficar nauseado, no momento e no lugar certo, para que eu possa caminhar de novo pelos campos e, com os cães sábios e sorridentes, saber quando comer um matinho.

A ESTÉTICA DA ARTE engloba tudo, há espaço nela para todo o horror, toda a delícia, se as tensões que os representam forem levadas aos perímetros mais extremos e liberadas para agir. Não estou pedindo finais felizes. Peço apenas finais adequados com base na avaliação adequada da energia contida e da detonação oferecida.

Enquanto o México me surpreendeu com tanta escuridão no coração do sol do meio-dia, a Irlanda me surpreendeu com a mornidão do sol envolto pela névoa que só serve para aquecer as pessoas. Os tambores distantes que ouvi no México me levaram até uma marcha fúnebre. Os tambores em Dublin me levaram alegremente pelos *pubs*. As peças queriam ser peças felizes. Deixei que elas escrevessem a si mesmas dessa forma, a partir de seus desejos e necessidades, suas alegrias estranhas e prazeres admiráveis.

Então, escrevi meia dúzia de peças e escreverei mais sobre a Irlanda. Sabia que há, em toda a Irlanda, grandes colisões frontais de bicicleta e as pessoas sofrem de concussões sérias por anos depois do acidente? Pois é. Eu as capturei e as mantive em um ato. Sabia que, toda noite nos cinemas, um momento antes de o Hino Nacional Irlandês estar prestes a irromper nos alto-falantes, há uma onda terrível de evasão enquanto as pessoas lutam para escapar pelas saídas para não ouvir aquela música terrível de novo? Acontece. Eu vi acontecer. Eu corri com elas. Ora, escrevi esse evento como uma peça, *Anthem Sprinters* [*Os corredores do hino*]. Sabia que a melhor maneira de dirigir à noite no nevoeiro pelas terras pantanosas do interior da Irlanda é com os faróis apagados? E dirigir terrivelmente rápido é melhor! Escrevi sobre isso. É o sangue de um irlandês que move sua língua a dizer belezas ou o uísque que ele entorna move seu sangue para mover a língua e recitar poemas e declamar com harpas? Não sei. Eu pergunto a meu eu secreto, que me responde. Sábio que sou, escuto.

Então, achando-me falido, ignorante, desatento, termino com peças de um ato, uma peça de três atos, ensaios, poemas e um romance sobre a Irlanda. Eu era rico e não sabia. Todos somos ricos e ignoramos o fato enterrado da sabedoria acumulada.

Então, várias vezes minhas histórias e peças me ensinam, me recordam, que nunca posso duvidar de mim mesmo, de meus instintos, das minhas entranhas ou do meu subconsciente Ouija de novo.

A partir de agora, espero sempre ficar alerta, educar a mim mesmo da melhor forma possível. Mas, na falta disso, no futuro, voltarei tranquilamente à minha mente secreta para ver o que ela observou quando achei que eu a havia deixado de lado.

Nunca deixamos nada de lado.

Somos taças sendo preenchidas constante e silenciosamente.

O truque é saber como nos inclinarmos para que a beleza se derrame.

Meu teatro de ideias

O TEMPO É MESMO teatral. É cheio de loucura, barbaridades, genialidade, inventividade; entusiasma e deprime. Diz muito ou pouco demais.

E uma coisa é constante em todos os casos mencionados acima.

Ideias.

As ideias estão em marcha.

Pela primeira vez, na longa e problemática história da humanidade, as ideias não existem meramente no papel, como as filosofias constam dos livros.

As ideias de hoje são planejadas, simuladas, projetadas, eletrificadas, firmadas e soltas para acelerar ou desacelerar os homens.

Tudo isso sendo verdade, como é raro um filme, romance, poema, história, pintura ou peça que lide com o maior problema de nosso tempo: o homem e suas ferramentas fabulosas, o homem e seus filhos mecânicos, o homem e seus robôs amorais que o conduzem, estranha e inexplicavelmente, à imoralidade.

Pretendo que minhas peças entretenham e sejam imensamente divertidas, que estimulem, provoquem, aterrorizem e, assim espero, distraiam. Isso, eu acho, é importante para contar uma boa história, escrever bem as paixões até o fim. Que o resíduo venha quando as peças terminarem e a multidão for para casa. Que o público desperte à noite e diga: "Ah, foi *isso* que ele quis dizer!". Ou grite no dia seguinte: "Ele está falando de *nós*! Está falando do *agora*! Do *nosso* mundo, de *nossos* problemas, de *nossas* dores e delícias!".

Não quero ser um palestrante esnobe, um bom samaritano grandiloquente ou um reformista tedioso.

Desejo correr, capturar esse tempo, o mais grandioso em toda a história do homem, para estar vivo, rechear meus sentidos com ele, olhá-lo, tocá-lo, ouvi-lo, cheirá-lo e esperar que outros corram comigo, perseguindo as ideias e as máquinas feitas de ideias, e serem perseguidos por elas.

No passado, fui parado muitas vezes por policiais à noite que me perguntavam o que eu estava *fazendo* caminhando por aí.

Escrevi uma peça chamada *The Pedestrian* [O pedestre], que se passava no futuro, sobre o drama de caminhantes semelhantes nas cidades.

Testemunhei inúmeras sessões espíritas entre televisores e crianças enlevadas, transportadas e distraídas de todas as idades, e escrevi *A savana*, uma peça sobre uma sala de televisão com aparelhos de parede a parede em um futuro muito próximo que se torna o centro de toda a existência de uma família aprisionada.

E escrevi uma peça sobre um poeta do ordinário, um mestre do medíocre, um velho cujo maior feito de memória é relembrar como um Moon, um Kissel-Kar ou um Buick de 1925 se parecia à época, até o capô, para-brisas, consoles e placas do carro. Um homem que consegue descrever a cor de cada embalagem de doce que comprara e o desenho de cada maço de cigarro que fumara.

Espero que essas peças, essas ideias, postas em movimento agora no palco, sejam consideradas um produto genuíno de nosso tempo.

1965

FILMANDO UM HAIKAI EM UM BARRIL

Começou como The Black Ferris, *uma história de 3 mil palavras, publicada na* Weird Tales *(1948), sobre dois jovens que suspeitam de alguma coisa de peculiar no parque de diversões que chega à cidade. A história transformou-se em um tratamento para o cinema de setenta páginas,* Dark Carnival *(1958), um projeto com direção de Gene Kelly, que não foi produzido. Dele surgiu um romance,* Algo de sinistro vem por aí *(1962); o romance se tornou um roteiro (1971), depois um segundo roteiro (1976), e agora, por fim, um filme. O autor da história, do tratamento, do romance e dos roteiros é, claro, Ray Bradbury. Bradbury sente que tem sorte: "Sempre fui um bom editor de minha própria obra".*

"Venho tentando ensinar meus amigos de escrita que existem duas artes: a número um, escreva; e, em seguida, a segunda grande arte é aprender como cortar de forma a não matar ou nem sequer ferir a obra. Quando se começa uma vida como

escritor, em geral se odeia o trabalho, mas agora que estou mais velho, ele se transformou em um jogo maravilhoso, e eu amo esse desafio tanto quanto escrever o original, pois é um desafio. É um desafio intelectual pegar um bisturi e cortar o paciente sem matá-lo."

Se editar é um jogo maravilhoso, então Algo de sinistro vem por aí *é como uma fábrica de jogos cheia de possibilidades, pois Bradbury está adaptando, readaptando e readaptando novamente a historinha de Will Holloway, Jim Nightshade e o carrossel demoníaco, cujos passageiros envelhecem um ano a cada volta. Ele está satisfeito que a versão de Jack Clayton, que a Disney vai lançar em fevereiro, "é a mais próxima de qualquer coisa minha no cinema". Ele parece satisfeito com a colaboração; "Passei seis meses fazendo um roteiro totalmente novo para Jack, que foi uma experiência deliciosa, pois é maravilhoso passar toda tarde ao lado dele".*

Mitch Tuchman

Eu tinha um roteiro de 260 páginas. Representam seis horas. Jack disse: "Bem, agora você vai cortar quarenta páginas". Eu retruquei: "Minha nossa, eu não consigo". Ele falou: "Pode começar, eu sei que você consegue. Estarei aqui". Então, cortei quarenta páginas. Ele disse: "Tudo bem, agora você precisa cortar mais quarenta páginas". Cheguei a 180 páginas, e aí Jack pediu: "Mais trinta". Eu falei: "Impossível, impossível!". Tudo bem, cheguei às 150 páginas. E Jack repetiu: "Mais trinta". Bem, ele continuou falando que eu conseguiria, e, por Deus, repassei uma última vez e cheguei às 120 páginas. Ficou melhor.

Quando o senhor deu a Clayton 260 páginas, achou que ele filmaria daquele jeito? Como um roteirista experiente, deveria saber que...

Bem, claro que eu sabia que estava longo demais. Eu sabia que podia fazer o primeiro corte... mas, daí para a frente, fica mais difícil. Em primeiro lugar, a gente fica cansado e não consegue ver a coisa com clareza. Então, depende de o diretor ou produtor, de quem estiver menos cansado que a gente, ajudar a encontrar os cortes.

Que tipo de ideias Clayton trouxe?

Ele simplesmente se sentava comigo dia após dia e dizia: "Em vez dessas seis linhas de diálogo, você consegue encontrar uma maneira de dizê-las em duas?". Ele me desafiava a encontrar uma maneira mais breve de dizê-las; então, eu encontrava. Então, a sugestão indireta e o fato de saber que ele estava me apoiando psicologicamente eram importantes.

O senhor cortava diálogo ou ação?

Tudo. O principal é a compressão. Na verdade, não é cortar como metáfora de aprendizagem — e aí meu conhecimento de poesia foi de grande ajuda para mim. Há uma relação entre os grandes poemas do mundo e os grandes roteiros: os dois lidam com imagens compactas. Se puder encontrar a metáfora correta, a imagem correta, e a colocar em cena, é possível substituir quatro páginas de diálogo.

Olhe para um filme como *Lawrence da Arábia*: uma das maiores cenas dele é sem diálogo. A cena inteira em que Lawrence volta para o deserto para resgatar o condutor de camelo: não há uma linha de diálogo. Ela se passa em cinco minutos e é toda imagem. Quando Lawrence sai do deserto, depois de todos o esperarem por aqueles minutos de sol escaldante e temperatura violenta — a música aumenta e o coração se eleva também. É o tipo de coisa que se busca aqui.

Sou um roteirista espontâneo, sempre fui. Sempre fui dos filmes. Sou filho do cinema. Assisti a todos os filmes feitos, desde os dois anos de idade. Estou calejado. Quando eu tinha dezessete anos, estava vendo entre doze e catorze filmes por semana. Bem, é um bocado de filme. Significa que vi de tudo, ou seja, a porcariada toda. Mas é bom. É uma maneira de aprender. Aprende-se assim como não fazer as coisas. Ver apenas filmes excelentes não educa a pessoa, de jeito nenhum, pois eles são misteriosos. Um filme ótimo é misterioso. Não há maneira de decifrá-lo. Por que *Cidadão Kane* funciona? Bem, ele simplesmente funciona. É brilhante em todos os níveis, e não há maneira de apontar nada nele que não esteja correto. Tudo está correto. Mas em um filme ruim fica imediatamente evidente, e ele consegue ensinar mais: "Nunca vou fazer *isso*, nunca vou fazer *aquilo*, e nunca vou fazer *aquilo outro*".

São muitas as histórias de romancistas insatisfeitos com as adaptações cinematográficas de sua obra. Com frequência a insatisfação é resultado de suas falsas expectativas. Pode me dar um exemplo de conselho que o roteirista Ray Bradbury talvez tenha dado ao escritor Ray Bradbury enquanto adaptava Algo de sinistro?

Jack e eu debatemos por muito tempo sobre a Bruxa do Pó. Ela é uma criatura muito bizarra. No romance, fiz com que ela fosse à biblioteca, e ela tinha os olhos costurados. Mas ficamos com medo de que, se não fizéssemos isso certo, ficaria hilário. Então, nós a invertemos: agora ela é a mulher mais bonita do mundo (Pam Grier). Às vezes, ela vai se virar de repente, e os garotos vão ver o que está por baixo da beleza: aquela criatura muito, muito feia. Acho que funciona melhor assim.

No livro, Charles Holloway tem uma atitude aflita diante da inevitabilidade do fim da juventude. Houve algum jeito de expressar isso no filme que não fosse com olhares tristes? Algum jeito de reter aquele monólogo interno sem nenhuma ação relacionada a ele?

Tem. Não está tudo lá, mas eu o fortaleci, acredito. Em um determinado momento na vida, quando seu filho era jovem, Charles Holloway (Jason Robards) perdeu a oportunidade de salvá-lo do afogamento; e, em vez dele, o homem que está do outro lado da rua, sr. Nightshade, o salvou. Então, temos isso como um ponto sensível recorrente. No fim, cabe a Holloway salvar seu filho (Vidal I. Peterson) no labirinto de espelhos; uma coisa fortalece a outra.

Então, temos poucas pistas no roteiro inteiro do pai falando com a mãe (Ellen Geer) tarde da noite ou com o filho no alpendre. Não é necessário insistir muito nisso. É uma coisa ótima no trabalho cinematográfico: só é preciso um olhar de um jeito ou sentir o vento de outro, não é necessário repassar todas as falas.

Tem uma cena maravilhosa quando o pai está sentado no alpendre com Will tarde da noite, e o garotinho diz: "Às vezes ouço o senhor chorar à noite. Queria poder deixar o senhor feliz". E o pai diz: "Só me diga que vai viver para sempre". É de partir o coração.

E a hipérbole? Acho que não há nenhum motivo para segurar "Os bilhões de vozes cessaram instantaneamente, como se o trem tivesse mergulhado em uma tempestade de fogo fora da Terra".

Meu caro jovem, há uma cena na qual os garotos (Peterson e Shawn Carson) correm pelo cemitério e observam o trem passando. Eles se agacham e se recostam no barranco e, em certo momento, o trem assobia, e todas as pedras no cemitério estremecem, e os anjos choram poeira. Ah-há!

O senhor tem uma maneira atrativa de usar substantivos como verbos. Em um momento, o senhor descreve Charles Holloway como "um pai que 'acegonhava' as pernas e 'peruava' com os braços". Uma linguagem descritiva como essa pode ser passada para a tela?

Um bom diretor poderia fazê-lo.

O senhor ainda continuará vendo as aves?

Um bom diretor encontraria uma maneira, porque o que a pessoa está filmando é haikai. Está se filmando um haikai em um barril.

Vou lhe dar um exemplo do que estamos falando. Dou aulas no departamento de cinema da Universidade da Califórnia do Sul há 22 anos — vou até lá algumas vezes ao ano —, e vários alunos me procuram e pedem: "Podemos filmar seus contos?". Eu digo: "Claro, podem. Façam isso. Mas tem uma restrição que eu imponho. Filmem a história inteira. Leiam o que eu fiz e alinhem as tomadas por parágrafos. Todos os parágrafos são tomadas. Pelo jeito que o parágrafo está escrito, vocês saberão se é um close ou uma tomada longa". Então, minha nossa, esses alunos, com suas camerazinhas e quinhentos dólares, fizeram filmes melhores que as grandes produções que eu tive, pois eles seguiram a história.

Todas as minhas histórias são fílmicas. *O homem ilustrado* da Warner Brothers, alguns anos atrás (1969), não funcionou porque eles não leram os contos. Talvez eu seja o romancista mais cinematográfico do país hoje. Todos os meus contos podem ser filmados diretamente da página do livro. Cada parágrafo é uma tomada.

Quando eu falei com Sam Peckinpah anos atrás sobre a direção de *Algo de sinistro*, eu lhe disse: "Como você vai rodar o filme se realmente o fizermos?". Ele disse: "Arrancar as páginas do livro e enfiá-las na câmera". E eu respondi: "Está certo".

Por fim, o trabalho é escolher entre todas as metáforas no livro, colocá-las em um roteiro na proporção correta para que as pessoas não comecem a rir de você.

Por exemplo, eu assisti na TV a *Jogo de paixões*, filme de George Stevens sobre a jogatina em Las Vegas. Warren Beatty e Elizabeth Taylor, que estava parecendo o Gaguinho do desenho animado. Em meia hora de filme, Taylor vira-se para Beatty e diz: "Me carregue para o quarto". Bem, não há o que fazer além de rir. Pensei: "Ele vai quebrar as costas". O que quero dizer é que assim se arruína um filme.

Então, quando alguém leva a fantasia para a tela, precisa garantir que as pessoas não vão morrer de rir.

Como o senhor começa o processo de adaptação para o cinema?

Eu jogo tudo fora e recomeço.

O senhor nunca olha o material original?

Quando escrevo um roteiro para cinema ou uma peça de teatro baseada em meu trabalho, nunca olho o original. Termino o texto e depois volto para ver o que deixei de fora. Sempre é possível inserir coisas se elas estiverem faltando. É mais divertido ouvir as personagens falando trinta anos depois.

Adaptei *Fahrenheit 451* para o teatro em Los Angeles dois anos atrás; fui até os personagens e disse: "Oi, não nos falamos há trinta anos. Você amadureceu? Espero que sim. Eu amadureci". E, claro, eles também haviam amadurecido. O capitão dos Bombeiros virou-se para mim e disse: "Oi, faz trinta anos que você me escreveu e esqueceu de me perguntar a razão de eu queimar livros". Eu falei: "Caramba! Boa pergunta. Por que você queima livros?". E ele me contou — uma cena gloriosa que não está no romance. Está na peça. E, em algum momento no futuro, devo voltar ao romance e enfiar nele o material novo, porque é maravilhoso.

O senhor poderia fazer outro filme sobre ele?

Não é necessário, pois eu amo o filme de Truffaut, mas eu gostaria de fazer um especial de TV da peça com todo o material novo; dar ao capitão dos Bombeiros uma chance de contar ao público que ele é um romântico fracassado: ele achava que os livros podiam curar tudo. Todos pensamos assim de algum jeito em nossa vida — não é? — quando descobrimos os livros. Achamos que, em uma emergência, tudo o que se deve fazer é abrir a Bíblia, Shakespeare ou Emily Dickinson, e pensamos: "Uau! Eles sabem de todos os segredos".

Com todo o conhecimento de roteiro e o que podemos e não podemos fazer na tela, o senhor não se interessa em começar a dirigir filmes?

Não, não quero lidar com tanta gente. Um diretor precisa fazer quarenta ou cinquenta pessoas o amarem ou o temerem, ou uma combinação dos dois, o tempo todo. E como lidar com tantas pessoas e ainda manter a sanidade e a cortesia? Acho que eu ficaria impaciente e não gostaria de ficar.

Veja, estou acostumado a acordar toda manhã, correr para a máquina de escrever e, em uma hora, eu crio um mundo. Não preciso esperar ninguém. Não preciso criticar ninguém. E está pronto. Tudo que preciso é de uma hora, e estou à frente de todo mundo. No restante do dia posso ficar numa boa. Eu já fiz mil palavras naquela manhã; então, se eu quiser um almoço de duas ou três horas, eu posso, porque já deixei todo mundo para trás.

Mas um diretor diz: "Ai, meu Deus, estou animado. Agora, imagino se poderei animar todo mundo". E se minha protagonista não estiver se sentindo bem hoje? E se meu protagonista for rabugento? Como lido com isso?

Seus personagens nunca apresentam esses problemas?

Nunca. Eu nunca aturo nada disso vindo de minhas ideias.

O senhor simplesmente dá uma palmada nelas para colocá-las no lugar?

Assim que as coisas ficam complicadas, eu me afasto. Esse é o grande segredo da criatividade. A gente tem que tratar as ideias como gatos: fazer com que eles sigam a gente. Se tentar se aproximar de um gato e pegá-lo no colo, caramba, ele não vai deixar. Você precisa dizer: "Ora, vá para os diabos". E o gato diz: "Espera aí. Ele não está se comportando como a maioria dos seres humanos". Então, o gato segue a gente, pois fica curioso: "Bem, o que há de errado com você que não me ama?".

Bem, uma ideia é assim. Viu? A gente diz: "Ora, caramba, não preciso que me deprima. Não preciso que me preocupe. Não preciso que me pressione". As ideias vão me seguir. Quando elas estão de guarda baixa e prontas para nascer, eu me viro e as agarro.

1982

ZEN NA ARTE DA ESCRITA

SELECIONEI O TÍTULO ACIMA, muito obviamente, pelo seu valor emocional. A variedade de reações a ele deveria me garantir algum tipo de público, ainda que apenas de observadores curiosos, aqueles que vêm por pena e ficam para gritar. Para garantir uma atenção arrebatadora, o antigo e pequeno espetáculo dos Medicine Men, que viajava pelo nosso país, usava órgão, tambores e índios Blackfoot. Espero que seja perdoado por usar ZEN da mesma forma, ao menos aqui para começar.

Pois, no fim das contas, talvez você descubra que não estou brincando.

Mas vamos falar cada vez mais sério.

Agora, enquanto você está aqui comigo, que palavras devo pintar em letras vermelhas de três metros de altura?

TRABALHO.

Essa é a primeira.

RELAXAMENTO.

É a segunda. Seguida pelas duas finais:

NÃO PENSE!

Bem, agora, o que essas palavras têm a ver com zen-budismo? O que têm a ver com a escrita? Comigo? Mas, mais especialmente, com você?

Para começar, vamos dar uma boa olhada nessa palavra levemente repelente que é TRABALHO. É, acima de tudo, a palavra ao redor da qual sua carreira revolverá pela vida toda. Começando desde já, você não deveria se tornar escravo dele, que é um termo mesquinho demais, mas seu parceiro. Assim que você realmente for coparticipante da existência com seu trabalho, essa palavra vai perder seus aspectos repelentes.

Vamos parar um momento e fazer algumas perguntas. Por que uma sociedade como a nossa, com uma herança puritana, tem sentimentos ambivalentes em relação ao trabalho? Sentimo-nos culpados se não estamos ocupados, não é? Mas, por outro lado, não nos sentimos um tanto sujos se suamos demais?

Só posso sugerir que geralmente cedemos ao trabalho, a uma atividade falsa, para evitar ficarmos entediados. Ou, pior ainda, concebemos a ideia de trabalhar por dinheiro. O dinheiro torna-se o objeto, o alvo, a finalidade e a essência. Portanto, trabalho, sendo importante apenas como meio para aquele fim, degenera-se em tédio. Não podemos imaginar, então, por que o odiamos tanto?

Ao mesmo tempo, outros estimularam a noção entre os escritores mais inseguros de que pena, pergaminho, uma hora de ócio no meio do dia, uma pitada de tinta riscada com bom gosto no papel vão bastar para trazer o sopro da inspiração. A referida inspiração com frequência é a última edição da *The Kenyon Review* ou de outro periódico literário. Algumas palavras por hora, alguns parágrafos feitos por dia e, *voilà!*, somos os Criadores! Ou, melhor ainda, Joyce, Kafka, Sartre!

Nada poderia estar mais distante da verdadeira criatividade. Nada poderia ser mais destrutivo que as duas atitudes acima.

Por quê?

Porque as duas são formas de mentir.

É tão mentira escrever dessa maneira quanto ser recompensado em dinheiro no mercado comercial.

É tão mentira escrever dessa maneira quanto ser recompensado pela fama oferecida por algum grupo quase literário esnobe nos suplementos intelectuais.

Nem preciso dizer o quanto as publicações literárias estão cheias até a tampa de jovens garotas e garotos que se enganam com a ideia de estarem criando quando o que estão realmente fazendo é imitar os volteios e os floreios de Virginia Woolf, William Faulkner ou Jack Kerouac.

Nem preciso dizer o quanto as revistas femininas e outras publicações de circulação em massa estão cheias até a tampa de jovens garotas e garotos que se enganam com a ideia de que estão criando quando, na verdade, estão apenas imitando Clarence Budington Kelland, Anya Seton ou Sax Rohmer.

O mentiroso de vanguarda engana-se que será lembrado por sua mentira pedante.

O mentiroso comercial também, em um nível próprio, se engana, pois, embora *esteja* se inclinando, isso só acontece porque o mundo está inclinado; *todo mundo* anda desse jeito!

Gostaria de acreditar que todo mundo que esteja lendo este ensaio não tenha interesse nessas duas formas de mentira. Cada um de vocês, com curiosidade sobre a criatividade, quer ter contato com aquela coisa dentro de si que é realmente original. Deseja fama e fortuna, sim, mas apenas como recompensa pelo trabalho realmente bem-feito. A notoriedade e uma conta bancária gorda devem vir depois de tudo estar terminado e pronto. Significa que não podem ser consideradas enquanto se estiver à frente da máquina de escrever. O homem que as considera mente de uma das duas maneiras para agradar um público mínimo que somente é capaz de derrubar uma ideia até insensibilizá-la e, em seguida, matá-la, ou um público grande que não reconheceria uma ideia se ela se aproximasse e o mordesse.

Ouvimos muito falar sobre se voltar para o mercado, mas não o suficiente sobre se voltar para as panelinhas literárias. As duas abordagens, no fim das contas, são maneiras infelizes de um escritor viver neste mundo. Ninguém se lembra, ninguém traz isso à tona, ninguém discute a história de quem se inclina, seja um Hemingway diminuto ou uma versão de segunda mão de Elinor Glyn.

Qual é a maior recompensa que um escritor pode ter? Não será aquele dia em que alguém correrá até ele, o rosto explodindo com sinceridade, os olhos fervilhantes com admiração, e gritará: "Aquela sua nova história é linda, realmente maravilhosa!"?

Somente aí a escrita valerá a pena.

De repente, as pomposidades das loucuras intelectuais se esvanecem. De repente, as quantias acordadas coletadas nas revistas cheias de propaganda ficam desimportantes.

O mais calejado dos escritores comerciais ama esse momento.

O mais artificial dos escritores literários ama esse momento.

E Deus, em sua sabedoria, com frequência oferece esse momento aos escritores por encomenda mais ávidos por dinheiro ou os *literateurs* mais ávidos por atenção.

Pois chega um momento nas ocupações diárias em que o antigo escritor por dinheiro se apaixona tanto pela ideia que começa a galopar, fumegar, ofegar, enfurecer e escrever com o coração, mesmo sem querer.

Então, também o homem com a caneta-tinteiro de repente é tomado pela febre, abre mão da tinta púrpura em prol da transpiração pura. Então, ele destroça canetas-tinteiro às dúzias e, horas depois, emerge arruinado da cama da criação como quem desviou uma avalanche que passou por sua casa.

Agora, é possível perguntar, que transpiração é essa? O que fez esses dois mentirosos quase compulsivos começarem a falar a verdade?

Deixe-me erguer minhas placas de novo.

TRABALHO

É bem óbvio que os dois homens estavam trabalhando.

E o trabalho em si, depois de um tempo, impõe um ritmo. O lado mecânico começa a ruir. O corpo começa a assumir a dianteira. A guarda abaixa. Então, o que acontece?

RELAXAMENTO

E daí os homens ficam felizes ao seguir meu último conselho:

NÃO PENSE

O que resulta em *mais* relaxamento e *mais* espontaneidade e maior criatividade.

Agora que já o confundi muito, vou parar para ouvir seu grito desesperado.

Impossível!, você diz. Como é possível trabalhar e relaxar? Como é possível criar e ficar uma pilha de nervos?

É possível. Isso se faz todo dia, toda semana, todo ano. Atletas fazem isso. Pintores fazem isso. Escaladores de montanha fazem isso. Zen-budistas com seus pequenos arcos e flechas fazem isso.

Até eu consigo fazê-lo.

E se até eu consigo fazê-lo, como você provavelmente está resmungando agora por meio de dentes cerrados, *você* também pode fazer isso!

Certo, vamos organizar as placas agora. Poderíamos colocá-las na ordem, de verdade. RELAXAMENTO ou NÃO PENSE poderiam vir antes, ou ao mesmo tempo, seguido por TRABALHO.

Mas, por conveniência, vamos fazer dessa maneira, com o acréscimo de uma quarta placa de desenvolvimento:

TRABALHO RELAXAMENTO NÃO PENSE MAIS RELAXAMENTO

Vamos analisar o número um?

TRABALHO

Você *está* trabalhando, não está?

Ou planeja algum tipo de cronograma para começar assim que deixar este ensaio de lado?

Que tipo de cronograma?

Algo assim. Mil ou duas mil palavras por dia nos próximos vinte anos. No início talvez você consiga chegar a um conto por semana, 52 histórias ao ano, por cinco anos. Você terá escrito e engavetado ou queimado um monte de material antes de estar confortável com essa média. Talvez você comece agora e consiga fazer o trabalho necessário.

Pois eu acredito que, no fim das contas, a quantidade tende a resultar na qualidade.

Como assim?

Os bilhões de esboços de Michelangelo, de Da Vinci, de Tintoretto, os quantitativos, prepararam-nos para os esboços qualitativos únicos lá na frente, retratos únicos, paisagens únicas de controle e beleza incríveis.

Um grande cirurgião disseca e redisseca mil, dez mil corpos, tecidos, órgãos, preparando-se, portanto, através da quantidade, para o tempo em que a qualidade vai importar — com uma criatura viva sob seu bisturi.

Um atleta pode correr dezesseis mil quilômetros para se preparar para cem metros.

Quantidade traz experiência. Apenas a experiência pode trazer qualidade.

Todas as artes, grandes e pequenas, resultam da eliminação do desperdício de movimento em favor da declaração concisa.

O artista aprende como deixar elementos de fora.

O cirurgião sabe como ir diretamente à fonte do problema, como evitar desperdício de tempo e complicações.

O atleta aprende a conservar energia e aplicá-la ora aqui, ora ali, como utilizar esse músculo em vez daquele outro.

O escritor é diferente? Acho que não.

Sua maior arte com frequência será o que ele não diz, o que deixa de fora, sua capacidade de declarar simplesmente, com emoção clara, o caminho pelo qual ele vai avançar.

O artista precisa trabalhar tanto, por tanto tempo, que o cérebro desenvolve e vive, sozinho, em seus dedos.

Assim como o cirurgião, cuja mão, por fim, como a mão de Da Vinci, deve esboçar sinais salvadores de vida na carne do homem.

Assim como o atleta, cujo corpo, por fim, é educado e se torna, ele mesmo, uma mente.

Pelo trabalho, pela experiência quantitativa, a pessoa se liberta da obrigação ante a qualquer coisa que não seja a tarefa à frente.

O artista não deve pensar na recompensa crítica ou no dinheiro que receberá por pintar. Ele precisa pensar na beleza aqui, no pincel pronto para fluir quando ele o soltar.

O cirurgião não deve pensar em seus honorários, mas na vida pulsando embaixo de suas mãos.

O atleta deve ignorar a multidão e deixar seu corpo correr a corrida por ele.

O escritor deve deixar os dedos esgotarem a história de suas personagens, que, sendo apenas humanas e cheias de sonhos e obsessões estranhas, ficam felizes em poder correr.

Então trabalhe, trabalhe duro, prepare o caminho para os primeiros estágios de relaxamento, quando alguém começa a se aproximar do que Orwell talvez chamasse de *Não pense!* Como ao aprender a datilografar, chega o dia quando as letras a-s-d-f e j-k-l abrem um fluxo de palavras.

Assim, não deveríamos desprezar o trabalho nem desprezar as 45 ou 52 histórias escritas em nosso primeiro ano como fracassos. Fracassar é desistir. Mas você está no meio de um processo de movimentação. Nada de fracasso até então. Tudo continua. O trabalho está feito. Se for bom, você aprende com ele. Se for ruim, você aprende ainda mais. Trabalho feito e terminado é uma lição a ser estudada. Não há fracasso a menos que alguém pare. Não trabalhar é cessar, contrair-se, enervar-se e, portanto, tomar uma posição destrutiva diante do processo criativo.

Então, veja, você está trabalhando não pelo trabalho em si, produzindo não pela produção em si. Se esse for o caso, talvez você devesse jogar as mãos para o alto, horrorizado, e se afastar de mim. O que estamos tentando fazer é encontrar uma maneira de libertar a verdade que reside dentro de todos nós.

Não fica óbvio agora que, quanto mais falamos de trabalho, mais perto chegamos do Relaxamento?

A tensão resulta de não saber ou desistir de tentar saber. O trabalho, ao nos dar experiência, resulta em confiança renovada e, por fim, em relaxamento. De novo, o tipo dinâmico de relaxamento, como a escultura, na qual o escultor não tem, conscientemente, de dizer aos dedos o que fazer. O cirurgião não diz a seu bisturi o que fazer. O atleta também não aconselha o corpo. De repente, um ritmo natural é alcançado. O corpo pensa por si.

Então, de novo, as três placas. Junte-as da forma que você desejar. TRABALHO RELAXAMENTO NÃO PENSE, antes separadas. Agora, todas as três juntas em um processo. Pois se alguém trabalha, no fim das contas esse alguém vai relaxar e parar de pensar.

Porém, trabalhar sem pensar corretamente é quase inútil. Vou me repetir, mas o escritor que deseja arrancar a verdade maior de dentro de si deve rejeitar as tentações de Joyce ou Camus ou Tennessee Williams, como se exibem nas resenhas literárias. Deve esquecer o dinheiro que o espera nas publicações de massa. Ele deve se perguntar: "O que eu *realmente* acho do mundo, o que eu amo, temo, odeio?", e começar a despejar isso no papel.

Então, por meio das emoções, trabalhando continuamente, por um longo período, sua escrita se esclarecerá; ele relaxará porque pensa corretamente e pensará ainda mais corretamente porque relaxa. Os dois momentos serão intercambiáveis. Por fim, começará a ver a si mesmo. À noite, a pura fosforescência de suas entranhas lançará sombras pela parede. Por fim a onda, a mistura agradável de trabalho, espontaneidade e relaxamento serão como o sangue em seu corpo, fluindo porque precisa fluir, movendo-se porque precisa se mover ao sair do coração.

O que estamos tentando desvelar nesse fluxo? A única pessoa insubstituível para o mundo, para a qual não há uma cópia. *Você*. Como houve apenas um Shakespeare, um Molière, um dr. Johnson, você é esse bem precioso, o indivíduo, o homem que todos nós democraticamente proclamamos, mas que, com muita frequência, fica perdido ou perde a si mesmo na confusão.

Como alguém fica perdido?

Por meio de objetivos incorretos, como eu disse. Por querer a fama literária rápido demais. Por querer dinheiro logo. Se pudéssemos lembrar, fama e dinheiro são presentes que nos são entregues somente *depois* de termos entregado ao mundo nosso melhor, nossas verdades solitárias, individuais. Ora, devemos construir nossa melhor ratoeira, sem considerar se um caminho está sendo aberto em nossa porta.

O que você acha do mundo? Você, o prisma, a medida da luz no mundo; ela brilha pela sua mente para lançar uma leitura espectroscópica sobre o papel em branco, diferente daquela que qualquer outra pessoa em qualquer outro lugar pode lançar.

Que o mundo arda através de você. Lance a luz do prisma, de um branco quente, sobre o papel. Faça sua leitura espectroscópica individual.

Então, você, um novo elemento, é descoberto, mapeado, batizado!

Então, a maravilha das maravilhas, você poderá até ser popular nas revistas literárias e, um dia, ser um cidadão com dinheiro suficiente, ficar fascinado e feliz quando alguém gritar com sinceridade: "Muito bom!".

Então, a sensação de inferioridade em uma pessoa com frequência significa a verdadeira inferioridade em um ofício pela simples falta de experiência. Por isso, trabalhe, ganhe experiência para se sentir à vontade com sua escrita, como um nadador boia na água.

Há apenas um tipo de história no mundo. Sua história. Se você escrever sua história, ela possivelmente poderá ser vendida a qualquer revista.

Tive histórias rejeitadas pela *Weird Tales* que recuperei e vendi para a *Harper's*.

Tive histórias rejeitadas pela *Planet Stories* que vendi para a *Mademoiselle*.

Por quê? Porque sempre tentei escrever a minha história. Dê o rótulo que quiser, chame de ficção científica e fantasia, de mistério ou faroeste. Mas, no fundo, todas as boas histórias são apenas de um tipo, a história escrita por um indivíduo a partir de uma verdade individual. Esse tipo de história pode se encaixar em qualquer revista, seja ela a *Post* ou a *McCall's*, *Astounding Science-Fiction*, *Harper's Bazaar* ou *The Atlantic*.

Corro aqui para acrescentar que a imitação é natural e necessária para o escritor iniciante. Nos anos de preparação, um escritor deve escolher esse campo, no qual ele acha que suas ideias vão se desenvolver confortavelmente. Se sua natureza de alguma forma se parecer com a filosofia de Hemingway, é correto que ele imite Hemingway. Se Lawrence é seu herói, um período de imitação de Lawrence virá. Se os faroestes de Eugene Manlove Rhodes são uma influência, ela vai aparecer no trabalho do escritor. Trabalho e imitação andam juntos no processo de aprendizagem. Uma pessoa impede sua criatividade real quando a imitação fica maior que sua função natural. Alguns escritores levam anos, outros levam meses antes de chegarem até a história realmente original dentro de si mesmos. Depois de milhões de palavras de imitação, quando eu tinha 22 anos, de repente dei o salto, relaxado, ou seja, para dentro da originalidade, com uma história de "ficção científica" que era inteiramente "minha".

Lembre-se, então, de que escolher um campo para escrever é totalmente diferente de se curvar dentro daquele campo. Se seu grande amor, por acaso, for o mundo do futuro, é correto que você empenhe suas energias na ficção científica. Sua paixão impedirá que você se curve ou imite além do ponto da aprendizagem permissível. Nenhum campo, se amado por completo, pode ser ruim para um escritor. Apenas os tipos de escrita envergonhados em um campo podem causar um grande dano.

Por que as histórias mais "criativas" não são escritas e vendidas em nosso tempo, a qualquer momento? Principalmente, acredito eu, porque muitos escritores não conhecem essa maneira de trabalhar que discuti aqui. Estamos tão acostumados com a dicotomia de escrita "literária" em oposição à "comercial" que não rotulamos ou consideramos o caminho do meio, o caminho do processo criativo, que é melhor para todo mundo e mais propício para produzir histórias que sejam agradáveis, da mesma forma, a esnobes e a escritores por encomenda. Como de costume, resolvemos nosso problema ou pensamos que o resolvemos ao enfiar tudo em duas caixas com dois nomes. Qualquer coisa que não se encaixe em uma das caixas não se encaixará em nenhum lugar. Enquanto continuarmos a fazer e pensar desse jeito, nossos escritores continuarão presos e submetidos a si mesmos. A Grande Estrada, o Caminho Feliz, está nesse meio-termo.

Agora — é surpresa? —, falando sério, preciso sugerir que você leia *A arte cavalheiresca do arqueiro zen*, livro de Eugen Herrigel. Aqui, as palavras TRABALHO, RELAXAMENTO e NÃO PENSE, ou palavras como essas, aparecem em aspectos diferentes e em cenários diferentes.

Eu não sabia nada sobre zen até poucas semanas atrás. O pouco que sei agora, pois você deve ter curiosidade sobre o motivo de meu título, é que aqui, de novo, na arte do arco e flecha, muitos anos precisam passar para que alguém aprenda apenas o ato de puxar a corda do arco e encaixar a flecha. Daí, o processo, às vezes tedioso e enervante, de preparação para permitir que a corda e a flecha se soltem. A flecha precisa voar em seu caminho até um alvo que nunca deva ser considerado.

Não acho, depois desse longo artigo, que preciso mostrar a você, aqui, a relação entre o arco e flecha e a arte do escritor. Eu já alertei sobre pensar em alvos.

Instintivamente, anos atrás, conheci a parte que o Trabalho deve ocupar na minha vida. Mais de doze anos depois, escrevi à caneta, à direita da minha máquina de escrever, as palavras: NÃO PENSE! É possível me repreender, a essa altura da vida, por eu ficar contente por ter encontrado acidentalmente a chancela de meu instinto no livro de Herrigel sobre o zen?

Chegará um tempo em que suas personagens escreverão suas histórias por você, em que suas emoções, livres da tendência literária e do viés comercial, explodirão na página e dirão a verdade.

Lembre-se: a *trama* não passa de pegadas deixadas na neve *depois* que seus personagens passaram a caminho de destinos incríveis. A *trama* é observada depois do fato em vez de antes. Não pode preceder a ação. É o mapa que permanece quando uma ação é concluída. É tudo que a *trama* deveria ser. É do desejo humano deixar correr, correr e chegar a um objetivo. Não pode ser mecânico. Só pode ser dinâmico.

Então, abra caminho, esqueça os alvos, deixe as personagens, seus dedos, corpo, sangue e coração *fazerem o trabalho*.

Não fique contemplando seu umbigo, mas encare seu subconsciente com aquilo que Wordsworth chamava de "passividade sábia". Você precisa ficar zen para reagir a seus problemas. O zen, como todas as filosofias, seguiu apenas os rastros de homens que aprenderam por instinto o que era bom para eles. Todo marceneiro, todo escultor digno de seu mármore, toda bailarina pratica o que o zen prega sem sequer ter ouvido essa palavra durante toda a vida.

"Um pai sábio conhece o próprio filho", deveria ser parafraseado para: "Um escritor sábio conhece o próprio subconsciente".

E não apenas conhece, mas deixa falar sobre o mundo como ele e apenas ele o sentiu e formulou segundo sua verdade.

Schiller aconselhava aqueles que escreviam a "remover as sentinelas dos portões da inteligência".

Coleridge punha nestes termos: "A natureza fluida da associação, que o pensamento retém e conduz".

Por fim, como leitura adicional para complementar o que eu disse, recomendo o ensaio "A educação de um anfíbio", de Aldous Huxley, do livro *Adônis e o alfabeto*.

E um livro realmente ótimo de Dorothea Brande, *Becoming A Writer*; publicado muitos anos atrás, mas que detalha muitas maneiras pelas quais um escritor pode descobrir quem ele é e como tirar o material de si para botar no papel, com frequência por meio de associação de palavras.

Agora fiquei parecendo uma espécie de cultista? Um iogue alimentando-se de cereais e amêndoas embaixo de uma figueira? Garanto a você que falo sobre todas essas coisas somente porque há cinquenta anos elas funcionam para mim. E acho que talvez funcionem para você. O teste verdadeiro está na prática.

Então, sejamos pragmáticos. Se não estamos contentes com nossa escrita, talvez valha a pena dar uma chance ao meu método.

Se fizer, acho que talvez você encontre facilmente uma definição da palavra *Trabalho*.

E a palavra é AMOR.

1973

... SOBRE A CRIATIVIDADE

Siga com passos felinos aonde as verdades minadas vão dormir

Não se trata de roubar, mas sim de encontrar e guardar para si;
Siga com passos felinos aonde as verdades minadas vão dormir
E detone as sementes ocultas com sutileza
Para que em seu rastro um redemoinho de riqueza
Brote invisível, ignorado, deixado para morrer
À medida que você avança, fingindo não ver.
Em seu retorno pelo caminho selvagem que criou
Encontre todas as coisas jogadas onde as espalhou;
Pequenas e grandes verdades vieram à tona naquele lugar
Por onde você cambaleou sem conseguir notar
Ou assim pareceu. E assim essas minas foram minadas,
No jogo fácil de passo e salto são encontradas,
Mas em geral no passo contínuo, nem sempre no salto.
Prestar atenção é importante, mas nem tanto.
Finja se importar, pareça distraído, ignore a estrada
E as metáforas como gatos atrás da sua risada
Cada um enrodilhado a ronronar, cada um, uma pretensão;
Cada um fera de ouro fino que você escondeu no coração,
Agora invocado adiante, do matagal em colheita
Transformado num imenso elefante que se agita
E tamborila e estala a mente, surpreendente,
Para vislumbrar a beleza, mas ainda ver sua falha vigente.
Então, falha descoberta, como se fosse a verruga da beleza,
Volte às pressas e veja tudo, o todo, a Inteireza.
Isso feito, finja essa perspicácia que não vai guardar para si,
Siga com passos felinos aonde as verdades minadas vão dormir.

O QUE FAÇO SOU EU; POR ISSO EU VIM

para Gerard Manley Hopkins

O que eu faço sou eu; por isso eu vim.
O que eu faço sou *eu*!
Por *isso* eu vim ao mundo!
Assim dizia Gerard;
Assim dizia o gentil Manley Hopkins.
Em sua poesia e prosa ele via as Moiras que o privilegiaram
Na genética, depois deixaram que encontrasse seu caminho
Entre as traiçoeiras imagens elétricas que carregava no sangue.
Deus deixa sua Impressão Digital em ti!, dizia ele.
Na hora de seu nascimento
Ele leva a mão ao seu rosto, Ele rodopia e estampa com suaves
gestos
Os sulcos e símbolos de Sua alma sobre os olhos!
Mas nessa mesma hora, já nascido, gritando
Declarações perplexas de seu nascimento,
No olhar refletido da parteira, da mãe, do médico
Vê aquela Impressão Digital desaparecer e rarear na carne
Assim, perdida, apagada, você a busca durante a vida toda
E investiga para encontrar doces instruções ali
Feitas quando Deus pela primeira vez circuitou e imprimiu
tua vida:
"Vai em frente! Faz isso! Faz aquilo! Faz aquilo outro!
Esse eu é teu! Sê-*lo*!"
E o que é isso?!, você grita com o peito fervendo,
Não há descanso? Não, apenas a jornada para ser você mesmo.
E mesmo quando a Marca de Nascença desaparecer, com o
ouvido em concha

Agora reduzidas a um suspiro, Suas últimas palavras o enviam
ao mundo:
"Nem mãe, nem pai, nem avô és tu.
Não sejas outro. Sejas o eu que assinalei em teu sangue.
Preenchi tua carne contigo. Busca isso.
E, ao encontrar, sejas o que ninguém mais pode ser.
Deixo a ti presentes do Destino mais secreto; não encontra o
Destino de outro,
Pois, se o fizeres, nenhum túmulo será profundo o suficiente
para teu desespero
Nenhum país distante o suficiente para esconder tua perda.
Circum-navego cada célula tua
Tua menor molécula está correta e é verdadeira.
Procura os destinos indeléveis e bons
E raros.
Dez mil futuros compartilham do teu sangue a cada instante;
Cada gota de sangue um gêmeo elétrico clonado de ti.
No ferimento mínimo da mão leem-se réplicas do que planejei
e soube
Antes de teu nascimento, depois escondi em teu coração.
Nenhuma de tuas partes que não acolha e esconda
O eu que serás se obedeceres à fé.
O que fazes é tu. Para isso te dei a vida.
Sê-lo. Assim sê o único que é realmente tu na Terra."
Querido Hopkins. Gentil Manley. Raro Gerard. Nomes tão belos.
O que fazemos somos *nós*. Por sua causa. Por *isso* viemos.

O OUTRO EU

Eu não escrevo.
O outro eu
Exige revelar-se a todo instante.
Mas se me viro para encará-lo muito rápido Então
Ele volta sorrateiro para onde e quando
Estava antes de chegar aqui.
Sem querer abri uma fresta da porta
E o deixei partir.
Às vezes um grito-chama o convoca,
Ele deduz que preciso dele,
Então preciso. Sua tarefa
É me dizer quem sou por trás da máscara.
Ele é Fantasma, e eu, fachada
Que esconde a ópera que ele escreve com Deus,
Enquanto eu, totalmente cego,
Espero sem êxtase até sua mente
Esgueirar-se do meu braço ao pulso, à mão, à ponta dos dedos
E, esgueirando-se, encontrar
As verdades que caem da língua
E queimam com ruído,
E tudo que vem do sangue secreto e da alma secreta em solo
secreto.
Com alegria
Ele avança sorrateiro para escrever, depois corre para se esconder
A semana inteira até a próxima tentativa de esconde-esconde
Na qual de fato finjo
Que fazer troça dele não é meu fim.
Ainda assim o faço e finjo virar o rosto,

Senão o eu secreto se esconderá o dia todo.
Eu corro e faço jogo fácil.
Um salto descuidado
Que invoca do sono
A fera brilhante, à espreita nas reservas
E na área de caça de quem? Meu fôlego,
Meu sangue, meus nervos.
Mas onde, nessa coisa toda, ele reside?
Em todas as minhas buscas exuberantes, onde se esconde?
Atrás desta orelha como chiclete
Daquela outra como lápis?
Onde esse garoto serelepe
Guarda seu chapéu?
Impossível. Ele nasceu eremita
E assim continua, em reclusão.
Não há motivo, mas me junto a seu jogo, seu ardil,
E o deixo correr à vontade e moldar minha imagem.
À qual dou meu nome e roubo o que é dele.
E tudo porque eu o impeli num espirro
Com o doce ronco da criação.
Será que R. B. escreveu esse poema, esse verso, esse discurso?
Não, o macaco interno, invisível, ensinou a lição.
Sua influência, vestida de minha carne, permanece um mistério;
Não diga meu nome.
Louve o outro eu.

Troia

Minha Troia estava lá, claro,
Embora as pessoas dissessem: Nem tanto.
O Homero cego está morto. Seu antigo mito
Não vale a pena. Deixe para lá. É melhor não fuçar.
Mas então criei alguns meios
Para coser minha alma terrena
ou morrer.
Eu *conhecia* minha Troia.
O povo alertou este garoto que era apenas uma história
E nada mais.
Enfrentei o aviso com um sorriso,
Enquanto o tempo todo minha pá
Afundava o sol ajardinado e a sombra de Homero.
Deuses! Não importam!, gritaram os amigos: tolo Homero está
cego!
Como *pode* ele mostrar as ruínas que nunca existiram?
Tenho *certeza*, disse eu. Ele fala. Eu ouço. Tenho *certeza*.
Desdenhando seu conselho
Cavei quando todas as costas estavam viradas,
Pois aprendi quando tinha oito anos:
A Ruína era meu Destino, disseram. O mundo chegaria ao fim!
Aquele dia em que entrei em pânico, pensei ser verdade,
Que você e eu e eles
Nunca veríamos a luz do dia seguinte...
Ainda assim o dia veio.
Com vergonha eu o vi chegar, relembrei minha dúvida
E imaginei: *o que* queriam aqueles profetas fatalistas?
Daquele dia em diante nutri uma alegria particular,

E não deixei que notassem
Minha Troia enterrada;
Pois se notassem, que escárnios,
Zombaria e piadas fariam;
Selei minha Cidade no fundo
De todos aqueles povos;
E, crescendo, cavei cada dia. O que encontrei
E dado como um dom por Homero velho e Homero cego?
Uma Troia? Não, *dez*!
Dez Troias? Não, duas vezes dez! Três dúzias!
E cada uma mais rica, bela e brilhante que a outra!
Todas na minha carne e sangue,
E cada uma delas verdadeira.
E o que isso significa?
Desenterre a Troia que há em *você*!

Não leve ruínas dentro da mente

Não leve ruínas dentro da mente
Ou a beleza falha; o sol romano é ofuscante
E a catacumba é seu gélido hotel!
Onde o inferno se revela no pretenso céu.
Atente-se aos tremores e ao dilúvio à vista
Que o tempo logo esconde no sangue do turista
E sai aos cambaleios da casa escondida
À visão em ruínas da Roma perdida.
Pense em sua natureza infeliz, tome cuidado
Os tijolos e ossos de Roma jazem lá, espalhados
Em cada cromossomo e gene contido
Jaz tudo que era ou poderia ter sido.
Todas as tumbas e tronos arquitetados
São em seus ossos à ruína lançados.
Lá o tempo revira toda a vida que cresce
E toda sua escuridão futura conhece,
Não leve essas ruínas internas por onde pisa,
Todo homem triste sabe que deve ficar em casa;
Pois se por acaso sua melancolia embarcar
Para onde tudo se perdeu, sua perda vai aumentar
E toda a escuridão que em si se encerraria
Vai fervilhar. Por isso só viaje com alegria.
Ou, do contrário, em ruínas consumará
Uma morte que já esperava virá,
E todas as cidades de sangue queimando
Não mais sãs e boas, tremerão, despencando
E você já sem enxergar verá
Uma Roma perdida, arruinada. E tu, o que será?

Estátua trincada e restaurada pela luz do meio-dia,
Mas que na meia-noite da alma se refugia.
Então não viaje com o humor contrariado
Ou sem que o espírito esteja ensolarado,
Viajar desse jeito pode custar o dobro,
Quando tanto você quanto o império se perdem em malogro.
Quando a mente traz a catacumba na tempestade,
E tudo em Roma parece mais uma lápide...
Não vá, turista.
Fique em casa!
Fique em casa!

Eu morro, então morre o mundo

Pobre mundo que não conhece sua ruína, o dia de minha morte.
Duzentos milhões se vão na hora de minha despedida,
Levo esse continente comigo para a sepultura.
São quase todos valentes, inocentes, e não desconfiam
Que se eu afundar eles serão os próximos da fila.
De forma que na hora da morte chegam os Bons Tempos
Mas eu, egoico louco, toco o sino de seu Pior Ano-Novo.
As terras além da minha terra são vastas e iluminadas,
Ainda assim com a mão firme eu apago sua luz.
Assopro o Alasca, duvido da França do Rei-Sol, corto a garganta da Grã-Bretanha,
Levo a velha Mãe Rússia à loucura num piscar de olhos,
Empurro a China da borda de uma pedreira de mármore,
Derrubo a Austrália e planto sua lápide,
Chuto o Japão para longe. Grécia?, voou rápido.
Farei com que voe e caia, como a verde Irlanda,
Transformado num sonho suarento, levarei espanto à Espanha,
Fuzilarei os filhos de Goya, torturarei os filhos da Suécia,
Destruirei flores e fazendas e cidades com as armas do fim do dia.
Quando meu coração para de bater, o grande Rá se afoga no sono,
Enterro todas as estrelas nas Profundezas Cósmicas.
Então ouça, mundo, esteja alerta, conheça o temor mais puro.
Quando eu ficar doente, nesse dia seu sangue morre.
Comporte-se, e eu fico e permito que viva.
Mas, se não se comportar, retiro o que agora concedo.
Esse é o fim, é tudo. Suas bandeiras estão dobradas…
Se eu for alvejado e derrubado? É o fim de seu mundo.

Fazer é ser

Fazer é ser.
Ter feito não é suficiente;
Entupir-se de tanto fazer: *esse* é o jogo.
Nomear-se a cada hora pelo que é feito,
Organizar seu tempo no fim do dia
E encontrar-se em atos
Que você não poderia conhecer antes dos fatos
Você cortejou o eu secreto, que tanto precisa de cortejo,
E assim vem à tona,
Mata a dúvida cada vez que pula, avança, segue
Adiante para tornar-se
O eu agora descoberto.
Não fazer é morrer,
Ou deitar-se e mentir sobre tudo
Que talvez você faça um dia.
Pare com isso!
O vazio do amanhã fica
Se ninguém o fizer existir
Com seu modo dinâmico de ver.
Deixe o corpo conduzir o cérebro
O sangue como cão-guia do cego;
Depois pratique e ensaie
Para encontrar o universo do coração-alma,
Saber que ao se mover/ver
Prova o tempo todo: fazer é ser!

Temos a arte para que a verdade não nos mate

Só conhece a Realidade? Pode morrer hoje.
Assim disse Nietzsche.
Temos a Arte para que a verdade não nos mate.
O Mundo é muito para nós.
O Dilúvio continua depois dos Quarenta Dias.
As ovelhas que pastam nos campos longínquos são lobos.
O relógio que tiquetaqueia dentro da cabeça é o verdadeiro Tempo
E à noite enterrará seu corpo.
As crianças aquecidas na cama na aurora vão embora
E, levando seu coração, partirão para mundos que você desconhece.
Assim sendo,
Precisamos da Arte para nos ensinar a respirar
E fazer o sangue circular; aceitar que nosso vizinho é o Diabo,
E a idade e a sombra e os carros que nos atropelam,
E o palhaço que tem a Morte no rosto
Ou o crânio com a coroa do Bobo
Que bate os sinos sujos de sangue e chocalha lamentos
Para repousar num tremor os velhos ossos tarde da noite.
Tudo isso, isso, isso, tudo isso: é demais!
Chega a partir o coração!
E então? Encontre a Arte.
Pegue o pincel. Posicione-se. Um para cá, dois para lá. Dance.
Corra. Tente um poema. Escreva uma peça.
Milton explica melhor do que um Deus bêbado
Por que o Homem trata o Homem desse jeito.

E Melville a matraquear se dedica à tática
De encontrar a máscara por trás da máscara.
E a homilia de Emily D. mostra a anomalia que é o refugo do
    Homem.
E Shakespeare envenena o dardo da Morte
E abrindo túmulos afia sua arte.
E Poe, quando prediz as marés do sangue,
Constrói com ossos a Arca que pela enchente navegue.
A morte, então, é como dente do juízo doloroso;
Enquanto a Arte arranca a Verdade em ato forçoso,
E mede o abismo que antes lhe servia de casa
Oculto no fundo da sombra, do Tempo e da Causa.
Embora a Lagarta da Borboleta-Monarca nos devore o peito,
Diante da Arte, grite como Yorick: "Agradeço!".

AGRADECIMENTOS

Os ensaios desta coletânea apareceram originalmente nas seguintes publicações, cujos editores e organizadores merecem agradecimentos.

"A alegria da escrita". *Zen & The Art of Writing. Capra Chapbook Thirteen*, Capra Press, 1973.

"Corra muito, fique imóvel, ou: a coisa no alto da escada, ou: novos fantasmas de mentes antigas". *How to Write Tales of Horror, Fantasy & Science Fiction*, editado por J. A. Williamson. Writers Digest Books, 1986.

"Como alimentar e manter uma Musa". *The Writer*, jul. 1961.

"Bêbado e guiando uma bicicleta". Introdução a *The Collected Stories of Ray Bradbury*. Alfred A. Knopf, 1980.

"Investindo uns trocados: *Fahrenheit 451*". Introdução a *Fahrenheit 451*. Limited Editions Club, 1982.

"Apenas deste lado de Bizâncio: *Licor de dente-de-leão*". Introdução a *Dandelion Wine*. Alfred A. Knopf, Inc., 1974.

"O longo caminho até Marte". Introdução a *The Martian Chronicles: The Fortieth Anniversary Edition*. Doubleday, 1990.

"Sobre os ombros de gigantes..." Publicado originalmente como prefácio a *Other Worlds: Fantasy and Science Fiction Since 1939*, editado por John J. Teunissen, University of Manitoba Press, 1980. Reimpresso em edição especial de *Mosaic*, v. XIII, n. 3-4 (primavera-verão 1980).

"A mente secreta". *The Writer*, nov. 1965.

"Filmando um haikai em um barril". *Film Comment*, nov.-dez. 1982.

"Zen na arte da escrita". *Zen & the Art of Writing. Capra Chapbook Thirteen*, Capra Press, 1973.

Este livro, composto na fonte Fairfield
e impresso no papel Polen Soft 80g/m² na Edigráfica.
Rio de Janeiro, Brasil, agosto de 2020.